Les Éditions du Boréal
4447, rue Saint-Denis
Montréal (Québec) H2J 2L2
www.editionsboreal.qc.ca

Histoires
d'ogres

DU MÊME AUTEUR

La Réparation, roman, 2011 ; coll. « Boréal compact », 2012.

Katia Gagnon

Histoires d'ogres

roman

Boréal

© Les Éditions du Boréal 2014
Dépôt légal : 2ᵉ trimestre 2014
Bibliothèque et Archives nationales du Québec

Diffusion au Canada : Dimedia
Diffusion et distribution en Europe : Volumen

*Catalogage avant publication de Bibliothèque et Archives nationales du Québec
et Bibliothèque et Archives Canada*

Gagnon, Katia, 1970-

   Histoires d'ogres

   ISBN 978-2-7646-2322-0

   I. Titre.

PS8613.A446H57   2014   c843'.6   C2014-940501-4

PS9613.A446H57   2014

ISBN PAPIER 978-2-7646-2322-0

ISBN PDF 978-2-7646-3322-9

ISBN ePUB 978-2-7646-4322-8

À Lucie Vallerand,
tel que promis, ou presque

I

L'annonce dans le journal

1

Affaires prometteuses

Hôtel cherche tenancier. Travail de nuit.

Phil Hébert était assis dans son salon lorsqu'il avait vu la petite annonce dans le journal. Plus précisément assis dans son sofa de cuir, souple et doux, les pieds allongés sur un pouf assorti. Son dernier achat. Du vrai cuir d'Italie, avait assuré le vendeur de la rue Saint-Hubert. Ça lui avait coûté une fortune.

Phil avait toujours aimé dépenser. Son Audi A4 stationnée dans l'allée d'asphalte bien noire en témoignait. Il avait emménagé il y a près de vingt ans avec son épouse et ses deux enfants dans cette grande maison du nord de la ville. Juste à côté de la rivière des Prairies. À quelques rues des manoirs des grands mafieux de Montréal. Il avait rénové la maison, avait fait creuser une piscine, puis un spa. Changé les meubles et les électros tous les trois ans. Acheté tous les derniers gadgets électroniques.

Évidemment, il avait fallu payer tout ça.

Phil avait commencé sa carrière comme livreur de bière chez Molson. Il était petit, mais tout en muscles. Sa job l'avait encore endurci. C'était payant, livrer de la bière. Il faisait des tas d'heures supplémentaires payées temps double, temps triple. Il n'avait pas fallu longtemps pour qu'on remarque son ardeur à l'ouvrage. On lui avait offert la job de contremaître. C'est lui qui répartissait les gars sur les *runs* de livraison de bière dans les bars.

Il gérait une cinquantaine de gars ; les livraisons dans tout l'est de Montréal. Rivière-des-Prairies, Pointe-aux-Trembles, Saint-Léonard, Hochelaga, le Quartier latin. Son territoire se rendait jusqu'à la Petite-Italie. Pour avoir l'air d'un boss, il s'était laissé pousser une imposante moustache, qu'il triturait lorsqu'il discutait avec ses gars.

Cette job l'avait amené à fréquenter tous les propriétaires de bars de la métropole. Après cinq ans en poste, il connaissait son monde. Il pouvait dire presque par cœur le nombre de caisses à livrer chaque semaine dans chaque boui-boui de l'Est. Il avait noué des relations plus que cordiales avec la grande majorité des proprios, qui l'appelaient par son petit nom et l'invitaient parfois à trinquer après les heures de bureau.

Et c'est grâce à cela que la chance lui avait souri.

Un jour, l'un des propriétaires d'un bar de la rue Ontario avait demandé à le rencontrer. Une affaire pressante et délicate, avait-il dit.

Il était rare que Phil se déplace dans le cadre de son emploi. Généralement, il réglait ses affaires au téléphone. Mais le ton du bonhomme l'avait intrigué. Son instinct lui avait soufflé d'accéder à sa demande. Il avait donc débarqué à la brasserie Michel, au coin d'Ontario et de Letourneux, à onze heures le matin, un mardi. L'endroit était vide. Une odeur de bière et de vieux mégots flottait dans l'air. Une fille s'activait dans un coin avec une serpillière. Phil lui jeta un coup d'œil intéressé. Un beau gros cul, nota-t-il.

Gérald Comtois, le proprio, l'avait assis à une table, juste à côté du bar. Il avait remarqué son regard. Sitôt assis, il lui fit un clin d'œil.

— Pas mal, ma nouvelle employée, hein ? Si jamais ça te tente, après, je pense qu'elle est ouverte aux petits extras. Vous pourriez aller dans le back-store.

Phil éclata d'un bon rire gras.

— Je te sers quelque chose ?

— Bah, il est presque midi. Une Bud.

Gérald téta sa bière pendant quelques minutes. Il parlait de la pluie et du beau temps, des affaires qui roulaient moins en ce moment. Il ne savait pas trop comment amener le sujet.

Après une gorgée, Gérald se décida. Il se pencha vers Phil et prit un air de conspirateur.

— Dis-moi, Phil, ça fait un bout que t'es chez Molson. Aimerais-tu ça, avoir un petit supplément à ta paye ?

Phil plissa les yeux.

— Je crache jamais sur l'argent. Qu'est-ce que tu veux dire, exactement ?

Le gros Gérald lui raconta qu'il avait eu de la visite récemment.

— L'ami de jeunesse d'un de mes fils. Ils sont allés à l'école de mécanique ensemble. Tu sais, mon fils qui a un garage. Mais son ami, il a pas de garage.

Gérald hésita.

— Il est rendu *full patch* chez les motards.

Phil leva un sourcil.

Le motard avait proposé à Gérald d'installer des machines à vidéopoker dans sa brasserie. Une affaire hyperpayante, avait-il dit. Les motards prenaient la moitié des profits, l'autre moitié revenait au tenancier. Mais évidemment, il fallait un investissement de départ de la part du proprio.

— Et c'est là que j'ai pensé à toi, mon Phil. Ils me chargent mille piasses par machine installée. J'en veux dix. Mais j'ai pas dix mille piasses, tu comprends. Alors je cherche un investisseur moitié-moitié. Et ça serait toi.

Phil ne réfléchit pas longtemps avant d'accepter. Cinq mille piasses, c'était de l'argent. Mais il avait l'impression que cette affaire était prometteuse. *Deal.*

Les deux hommes avaient choqué leurs bières.

Gérald était content. Tellement content qu'il avait lui-même payé la pipe que la fille avait faite à Phil dans le back-store.

— C'est mon cadeau, *partner,* avait-il dit en faisant un nouveau clin d'œil.

Une affaire prometteuse, s'était répété Phil en poussant la porte du bar, quelques instants après avoir joui gratos.

Et, de fait, ces cinq machines avaient été le début de sa fortune. Après Gérald Comtois, Roger Champagne, dont le bar était situé à quelques rues, lui avait fait la même proposition. Phil avait ainsi investi en sous-main dans plusieurs bars d'Hochelaga-Maisonneuve.

Le cash rentrait.

Puis, un jour, il avait eu un appel de Giuseppe, du Caffe Espresso, situé à Saint-Léonard. Même type de rencontre, autres investisseurs. Les Italiens s'intéressaient eux aussi aux machines.

De machine en machine, Phil avait pu s'acheter une grosse cabane sur le boulevard Gouin, des autos de luxe ; payer des voyages au Mexique à sa famille, des études à l'étranger à ses enfants. Sa femme n'avait jamais posé de questions, même quand elle le voyait rentrer avec des sacs de sport remplis de billets. Elle se contentait d'aligner des petits animaux de cristal hors de prix sur une étagère au salon.

La gestion de tout cet argent liquide avait cependant fini par poser problème. Au début, il avait fait installer un coffre-fort, qui était rapidement devenu trop petit.

Avec le concours de ses amis les motards, Phil avait blanchi son argent dans diverses entreprises illicites. Chantiers de construction, faux salons de coiffure, pâtisseries bidon. Il avait toujours continué de travailler chez Molson. Il n'avait pas du tout l'impression d'être un criminel. Juste un gars qui voulait avoir un petit supplément à sa paye.

Le stratagème avait fonctionné à merveille jusqu'à ce que le gouvernement vienne lui couper l'herbe sous le pied en prenant le contrôle des appareils de loterie vidéo. Le lucratif commerce en sous main s'était éteint du jour au lendemain. C'était Loto-Québec qui, désormais, engrangeait les profits.

Phil avait alors cinquante-cinq ans. Il avait pris sa retraite de chez Molson.

Et depuis deux ans, il était chez lui, dans sa résidence confortable, son Audi stationnée dans l'entrée. Sa fille était actuaire, elle travaillait pour un bureau de comptables à Toronto. Son gars, un ingénieur, gérait un chantier à Shanghai. Un contrat d'un an. Phil avait une bonne pension de chez Molson et, en plus, il était assis sur une petite fortune.

Il y avait juste un problème.

Il s'ennuyait.

Et un jour, il avait vu l'annonce. Il avait téléphoné. On lui avait demandé de se rendre vers vingt et une heures dans un hôtel situé rue Sainte-Catherine. Le Matador.

Le soir dit, Phil avait passé plusieurs fois devant l'hôtel sans le voir. L'enseigne était minuscule ; le taureau qui chargeait une cape rouge était délavé par la pluie. L'hôtel se déployait au-dessus d'un sex-shop, à côté d'un restaurant La Belle Province. Il avait emprunté l'escalier étroit qui menait à l'entrée. Ça sentait la pisse et la bière.

J'espère que je me ferai pas maganer mon char, se dit-il, inquiet.

Une grosse blondasse, assise à la réception, le regarda. L'ennui était imprimé sur son visage.

— Oui ?

— Je viens pour l'annonce, dit Phil.

La blondasse le regarda d'un nouvel œil. Elle leva péniblement son gros cul du tabouret sur lequel elle était assise. La masse de chair molle se dirigea vers une porte. Elle frappa.

— Prof ! appela-t-elle. Y a quelqu'un pour toé !

La grosse revint à son poste et alluma une cigarette.

— Pour la job, faut rencontrer le patron, dit-elle.

Elle le regarda, une lueur dans les yeux, en soufflant sa fumée. Phil jeta un coup d'œil à son décolleté très plongeant. Les seins de la femme étaient énormes et tombants.

Elle suivit son regard et éclata de rire.

— Ça fait longtemps que je travaille plus, bébé. Mais des fois, je fais des exceptions, dit-elle en bombant le torse et en remuant ses attributs.

Phil avait l'impression de voir bouger une énorme montagne de Jell-O. Contre toute attente, le mouvement eut sur lui un effet hypnotisant et légèrement excitant. La femme interpréta son silence comme une invite. Elle se préparait à descendre de nouveau de son tabouret quand le Prof arriva.

Au premier regard, Phil sut à qui il avait affaire. Malgré les cheveux en queue de cheval et les petites lunettes rondes, le gars était grand, baraqué, les bras tatoués. Sur son débardeur de cuir, bien en vue, l'insigne des motards.

Ils s'enfermèrent dans le bureau. Le Prof lui expliqua que la grosse blondasse prenait sa retraite. Il cherchait un remplaçant. Il avançait prudemment, ne sachant pas trop à qui il avait affaire. Pour le mettre en confiance, Phil lui fit part de ses états de service côté vidéopoker. Il partagea les noms qu'il connaissait. Les yeux bleus du motard s'éclairèrent. Il sourit. Il avait trouvé son homme.

Et c'est ainsi que Phil Hébert se trouva une nouvelle job.

À vingt heures, six soirs par semaine, il partait à pied

de chez lui. Pas question de laisser son Audi passer la nuit au centre-ville. Trop peur des vandales et des voleurs. Vers vingt et une heures, il s'assoyait sur le tabouret de la blondasse. Puis, il attendait. Une heure plus tard, le trafic commençait. Le Prof débarquait avec sa cargaison.

Les filles arrivaient un petit peu plus tard.

Vanessa, toujours la première, toujours à moitié soûle sur ses talons hauts. La doyenne des lieux. Poulette, la grosse Noire. Et Jade. La petite dernière. Jeune, jolie, gracile. Elles, c'étaient les habituées, auxquelles se greffaient plusieurs occasionnelles de passage. En temps normal, les dix chambres du Matador fonctionnaient à plein. Les fins de semaine, il y avait parfois tellement de monde que les filles étaient contraintes d'utiliser la salle de lavage.

Les chambres se louaient vingt dollars l'heure, payés par le client. Les filles étaient des indépendantes qui travaillaient sans souteneur. Elles fixaient leurs propres tarifs. Et le Prof écoulait ses roches de crack. Les filles étaient de très bonnes clientes.

Phil, assis derrière son *desk*, était le spectateur de ce ballet de paumés. Il prenait plaisir à tout cela, se rinçait l'œil abondamment. À la fin de son shift, il se payait parfois les services de Poulette. Et le cash continuait de rentrer.

À sa première journée, il avait été « formé » par la grosse blondasse.

— Tu collectes les vingt piasses des clients. Ils les donnent avant de baiser, c'est obligatoire. Tu poses jamais de questions. Tu laisses les filles faire. Si jamais y en a une qui crie trop fort, tu peux aller voir si elle est correcte.

Mais y a certains clients qui veulent que la fille crie. À la longue, tu vas finir par les connaître. Si jamais y a un problème, tu parles au Prof. Ah oui, pis tu collectes ta paye à chaque semaine. C'est le Prof qui te la donne en cash. Pis y a aussi la question des extras.

La grosse ébaucha un fin sourire.

— Si une fille veut une bière, tu lui en fais monter une. Mais tu lui charges. Tu peux t'acheter des pipes à crack, elles les perdent tout le temps. Là aussi, tu charges. Si elles ont pas de condoms, tu peux leur en vendre. Tu charges pour toutte, c'est pas mêlant. Et ça, c'est payant, mon chou. Tu vas ramasser ben, ben des sous.

Phil glissa un regard qu'il espérait discret vers son décolleté.

Lorsque ses yeux revinrent au visage de la femme, elle souriait.

— Ça te tente, hein, mon gros matou? Comme c'est toi qui me remplaces, je te chargerai pas cher. De toute façon, on a fini. Je pense que t'as bien compris. Un complet pour vingt piasses, ça te va?

Phil sentit sa respiration s'accélérer. Non, il ne pouvait pas être excité par cet amas de chair molle. C'était impossible. Et pourtant, quelque chose dans son pantalon lui disait que oui. Il hocha la tête.

— Je sais, dit la grosse blondasse. Je fais cet effet-là à certains hommes. Ceux qui aiment les grosses.

Elle l'entraîna dans une chambre et se déshabilla. Une cascade de bourrelets émana de ses leggings roses. Son soutien-gorge mauve laissa échapper deux seins immenses, aux aréoles pâles et larges comme des mains.

Debout sur ses jambes en forme de piliers, marbrées de cellulite et de vergetures, elle le regardait. Tout son corps semblait mou et spongieux. Phil pensa à une motte de beurre. Elle termina lentement sa cigarette, ménageant ses effets.

Phil était bandé comme il ne l'avait jamais été. Elle écrasa son mégot et lui jeta un condom.

— Je te fais un spécial. C'est mon dernier coup, dit-elle en se mettant péniblement à quatre pattes sur le lit.

Phil, encore sous le choc, mit un moment à réagir. Il finit par descendre son pantalon et se positionner derrière elle. Il tremblait de désir en enfilant le condom.

Après vingt minutes, il sortit de la chambre tout guilleret.

Décidément, cette affaire était prometteuse.

2

Vente de minéraux

Compagnie spécialisée en vente de minéraux cherche représentant. Expérience demandée.

Enfin, elle était là. Comme convenu, dans la section 414 des petites annonces. *Offres d'emploi – vente.* Le Prof était figé devant le journal. Puis, la joie l'envahit. L'annonce était là. Ils avaient gagné.

Ça faisait des mois qu'il attendait cette annonce. Il se rua hors du chalet, sauta sur sa moto et se rendit au village pour téléphoner. Il composa en tremblant un numéro qu'il connaissait très bien.

— Coco ? C'est le Prof. C'est O.K. ?

Le Prof quitta le restaurant du village le cœur léger. Il pouvait enfin retourner à Montréal.

En jetant ses quelques affaires dans sa valise, il dit adieu à ce maudit shack où il venait de passer deux mois. Les deux mois les plus longs de sa vie.

Il se souvenait avec précision du soir où il avait quitté Montréal. Coco était venu le reconduire ici parce qu'il avait merdé. Coucher avec la blonde du boss, c'était pas fort. Et le pire, c'est que cette banale aventure avait dégénéré en guerre des motards. Le boss avait voulu punir le Prof, l'allié de Coco. Coco avait refusé de perdre son meilleur vendeur et avait saisi l'occasion de faire ce qu'il voulait faire depuis longtemps : débarquer le boss.

Après l'avoir mis en sûreté, Coco avait déclenché les hostilités. Pendant des semaines, la guerre entre les deux clans rivaux avait fait rage dans les rues de la métropole. Un petit garçon était mort, fauché par une bombe posée sous une voiture.

Tout ça parce que j'ai couché avec la blonde du boss, pensa-t-il, non sans une certaine fierté. Son air de prof de cégep avait séduit la fille un soir de party. C'est vrai qu'il détonnait parmi les gars de bicycle. Il avait les cheveux longs et bouclés, attachés en queue de cheval, et des petites lunettes rondes. Petit, il était maigrichon. Mais à coups de poids soulevés au gymnase, doublés de doses de créatine et de quelques substances illégales, il s'était bâti une respectable montagne de muscles. Il polissait avec soin son look d'intello dur. Ça lui avait valu son surnom, le Prof, une tradition chez les motards. Julien « Prof » Samson.

Le soir où Coco était venu le reconduire ici, dans son shack perdu dans le bois, ils s'étaient entendus sur les termes de l'annonce qui paraîtrait dans un tabloïd et qui viendrait signifier au Prof que le clan de Coco avait gagné la guerre. Ils avaient bien ri en choisissant les termes. *Compagnie spécialisée en vente de minéraux.* C'est vrai, après tout, ils vendaient des roches.

Le Prof sourit. Il alla récupérer dans le placard son

blouson de cuir où s'étalait l'insigne des Hell's. Il ne l'avait pas sorti depuis deux mois. Il fallait éviter de se faire repérer au village. Il caressa le cuir lisse et enfila le vêtement en soupirant. Enfin. Enfin, il allait retrouver Montréal, l'asphalte, les filles, les chums, la dope.

Le Prof était un vendeur expérimenté. Il prenait son petit joint tous les soirs, sniffait occasionnellement une ou deux lignes de coke, mais pas plus. Il ne consommait jamais sa propre marchandise. Trop dangereux. Mais ces derniers mois, il n'avait rien eu pour l'aider à supporter cet enfer naturel de silence. Il allait se taper un ostie de party en ville. De la coke et de la baise en masse.

Il dit silencieusement adieu à sa prison verte et enfourcha sa bécane. Il prit une grande respiration en sortant du Métropolitain. La bonne odeur de la ville, décuplée par la chaleur de l'été. Il descendit le boulevard Pie-IX en souriant de toutes ses dents.

Coco l'accueillit avec chaleur dans le bunker des motards dans Hochelaga. Il avait transformé le bureau du boss à son image. À la poubelle, les photos de *Playboy* et la décoration cheap. Coco avait de la classe et il aimait le luxe.

Il ouvrit un gros coffret de cigares et ils prirent place dans les fauteuils en cuir noir. Coco lui expliqua en long et en large comment il avait gagné la guerre. Il avait préparé son coup depuis longtemps, constata le Prof avec dépit. Somme toute, son aventure avec la maîtresse du boss n'avait été qu'un prétexte.

Au moment où le Prof s'était retrouvé à la campagne, Coco avait lâché une armada de tueurs à gages, qui avaient éliminé méthodiquement les quatre principaux lieutenants de l'ex-boss. Les tueurs savaient depuis longtemps qui était leur cible. Ils avaient opéré très rapidement. Le vieux avait été pris par surprise.

Le boss avait été abattu chez lui, insulte suprême. Le meilleur tireur de Coco s'était embusqué dans le petit boisé qui jouxtait la grosse cabane. Au moment où la silhouette était passée devant la fenêtre, la balle était partie. Une balle, qui avait fait un trou bien net dans la fenêtre de la salle à manger. Le boss s'était écroulé sur son tapis persan. Les fils de soie du tapis s'étaient lentement gorgés de sang.

Suivant son plan, le tueur à gages avait mis le système d'alarme hors circuit et était entré dans la maison. Il avait coupé un doigt du grand chef, celui qui était tatoué. Il avait ramené son trophée à Coco. Les alliés du vieux, ceux qui restaient, avaient lutté pendant quelques semaines avant de finir par prêter le serment d'allégeance au nouveau chef. La guerre des motards était finie.

Quelques jours après la reddition finale, les fidèles de Coco s'étaient installés partout dans le réseau des bars contrôlés par les motards. Le nouveau boss avait réservé une place de choix au Prof : le Matador.

— T'es mon meilleur vendeur. C'est le spot le plus hot du centre-ville. Je veux que ça marche encore plus fort.

En arrivant sur place, le Prof avait constaté que la clientèle roulait en masse. Mais il voulait plus. Dès son arrivée, il avait annoncé que les nouveaux propriétaires prendraient un pourcentage sur les passes. Les filles avaient rapidement déserté les lieux. Coco l'avait regardé d'un œil noir pendant plusieurs jours.

Mais le Prof avait tenu son bout. Les filles avaient fini par revenir. Elles s'étaient pliées de mauvaise grâce à la nouvelle règle. Dix pour cent pour lui. Les filles du Matador étaient généralement en fin de carrière, vieilles ou grosses. Pour stimuler l'achalandage, il en avait recruté une nouvelle, jeune, jolie. Jade. D'immenses yeux bleus, des cheveux bouclés, un corps d'adolescente à peine formée, comme le Prof les aimait.

Jade était un super prospect. Quelques années devant elle pour faire la gaffe. Pas grosse, pas laide, pas vieille : elle pouvait donc charger plus cher. Et elle était accrochée solide au crack.

Il avait été conquis dès le moment où elle avait poussé la porte de l'hôtel.

— As-tu de l'expérience ? lui avait-il demandé.

— À date, j'ai juste fait des pipes, avait-elle répondu.

— Va falloir que tu fasses pas mal plus que ça ici, l'avait avertie le Prof. T'es prête à ça ?

La fille avait eu le regard d'un chevreuil hypnotisé par les phares. Ses yeux glissèrent sur les roches de crack rassemblées sur une petite table, dans la chambre où ils se trouvaient. Le rythme de sa respiration s'accéléra. En manque, diagnostiqua le Prof.

Elle était vraiment jolie. Et jeune.

Il se renversa sur sa chaise. Il aimait plus que tout le pouvoir que lui donnaient ces petites roches jaunâtres. Il la laissa souffrir un peu.

— Regarde, je te donne une roche. Poffe, pis après tu me montres ce que tu sais faire.

Jade sortit sa pipe à crack de la poche arrière de son jean. Elle tremblait. Elle s'assit sur le lit et alluma la roche. Le Prof la regardait avec curiosité. Il aimait voir l'effet que faisait sa marchandise. Les yeux de Jade partirent vers le haut. Son corps se détendit complètement. Elle souriait. Elle était vraiment magnifique comme ça, se dit-il. Il attendit un peu, la laissa savourer quelques minutes de ce bonheur artificiel. Pour sa part, il avala un comprimé de Viagra. Il allait falloir tenir un peu plus longtemps que d'habitude pour tester la marchandise.

— O.K., Jade, maintenant, c'est à toi de jouer. Si tu veux vraiment cette job-là, montre-le-moi.

Dans la demi-heure qui suivit, il la prit dans toutes les positions. Faut qu'elle sache à quoi s'attendre, se dit-il. Dans le fond, c'est de la formation que je fais présentement. Il ricana.

Il la laissa étendue à plat ventre sur le couvre-pied en chenille, la tête tournée sur le côté. L'effet du crack s'était complètement dissipé. Jade avait retrouvé son regard de chevreuil.

En partant, il laissa une autre roche sur la table.

— Si tu veux la job, tu l'as.

3

Dora l'exploratrice

Hôtel du centre-ville cherche escorte. Salaire selon expérience.

Jade était assise par terre dans son salon où il n'y avait rien d'autre qu'un vieux sofa élimé. Elle avait étendu le journal par terre et consultait la section des petites annonces. Il fallait absolument qu'elle trouve une job. Escorte. C'était quoi, ça, précisément, *escorte*?

Elle s'en doutait, évidemment.

Elle déchira la page de journal, entoura l'annonce en rouge. Elle la fixa sur son frigo avocat avec un aimant à l'effigie de Dora l'exploratrice.

La vue de Dora, flanquée du singe Babouche, lui fit monter les larmes aux yeux. Elle s'échoua sur une chaise de cuisine, le visage dans les mains.

Où est-ce qu'elle était? Qu'est-ce qu'elle faisait? Qui prenait soin d'elle?

La travailleuse sociale avait dit qu'elle la placerait en famille d'accueil. En attendant que Jade se reprenne. Ça pouvait être temporaire, avait-elle dit, en tapotant son dossier avec un crayon. Ça dépendait d'elle. Mais Jade ne se faisait pas trop d'illusions. La travailleuse sociale n'était pas de son bord.

Quand elle était venue chez Jade la première fois, elle avait salué la petite. Puis, elle avait fait le tour de la maison, ouvert le frigo. Évidemment, il n'y avait rien. Un vieux pot de relish et un bout de fromage.

Qui savait comment la coucher le soir ? Qu'est-ce qu'on lui disait quand elle demandait maman ?

La travailleuse sociale avait pris des notes.

— Où dort votre fille ?

Jade lui avait montré la chambre de la petite. Des affiches de Dora. Deux toutous. Deux, trois petits livres de Caillou. Quelques jouets. Justine sautait sur son lit en riant. La travailleuse sociale l'avait regardée. Jade n'avait pas aimé son regard.

Qui la faisait rire ?

Il avait fallu plusieurs autres visites, mais finalement le verdict était tombé. Justine, sa petite Juju, devait être placée.

Jade était toxicomane. Un danger pour sa fille.

Oui, elle consommait. De plus en plus. Elle était accrochée au pot depuis longtemps. Mais ses problèmes avaient commencé avec le crack. C'est vrai qu'elle avait laissé la petite toute seule, parfois, souvent, pour aller voir le vendeur au coin de la rue. Parce qu'elle manquait d'argent, elle s'était mise à faire des pipes dans la ruelle. Son voisin l'avait vue. C'est lui qui l'avait dénoncée, elle en était certaine. Vieux crisse. Elle serra les dents.

Elle essaya de ne pas se souvenir du jour où Justine était partie.

Elle n'avait rien dit à la petite. Incapable. Par une sorte de pensée magique, elle espérait que rien de cela n'aurait lieu. À l'heure dite, au jour dit, la travailleuse sociale avait débarqué. Elle avait parlé à Juju. La petite n'avait rien compris. Jusqu'au moment où la femme l'entraîna vers la porte. Juju regarda Jade. Quand elle vit que sa mère ne venait pas, elle se mit à pleurer. Elle tendit les bras vers Jade, qui tenta de l'arracher à l'étreinte de la travailleuse sociale. Les deux femmes se disputèrent le corps de la petite fille de trois ans. Finalement, la loi l'emporta. Juju fut emmenée, hurlante, dans la cage d'escalier. Chacun de ses cris transperçait Jade comme un couteau.

Elle avait perdu sa fille.

Le placement de sa fille la fit couler à pic. Elle se noya encore plus profondément dans le crack. Quand elle poffait, elle n'y pensait plus. Elle ne voyait plus Juju hurler, la travailleuse sociale inspecter son frigo, le voisin la regarder d'un air narquois le lendemain. Elle ne se sentait plus envahie par cette mer de culpabilité. Elle ne sentait plus qu'elle avait tout gâché. Quand elle poffait, elle était ailleurs. Avec ses parents. Avant. Chez elle. Avant toute la merde qui lui était tombée dessus.

Au fil des poffes de crack, tous ses biens passèrent chez son vendeur. Sa petite télé, son lecteur MP3, son lecteur DVD cheap. De toute façon, elle n'en avait plus besoin. Plus personne n'écoutait les disques de *Dora l'exploratrice*. À la fin, il ne resta dans son logement qu'un sofa, un lit, un frigo, un poêle et une table.

Et un jour, assise par terre dans son salon, elle se dit qu'il fallait absolument trouver une job payante. Mais elle ne savait rien faire de particulier. Elle n'avait pas de diplôme. Et de toute façon, qui voudrait engager une toxico? Sa consommation avait atteint un tel niveau qu'elle devenait impossible à cacher. Ne lui restait qu'une seule option. Vendre ce qui lui restait. Des seins, une bouche, un cul.

Elle garda l'annonce sur son frigo pendant plusieurs jours. Le temps d'écouler son chèque d'aide sociale. Vers le 10 du mois, elle n'avait plus un sou. Rien pour payer son loyer. Un matin, elle regarda longuement l'annonce. Escorte.

Elle prit le téléphone. Ça ne devait pas être si pire que ça.

4

Cartables rouges

Intervenant d'expérience recherché pour maison de transi-tion située à Montréal. Travail à temps plein.

Jean-Pierre Nadeau s'arrêta net à la vue de l'annonce. Tiens, tiens. Voilà qui était intéressant. L'homme aux cheveux blancs, lunettes de lecture sur le bout du nez, découpa soigneusement l'annonce. Il la colla avec précaution sur une feuille de papier blanc. Trois trous avec un poinçon, et la feuille prenait place dans un grand cartable. Les cartables rouges étaient alignés sur une étagère complète de sa bibliothèque. Il feuilleta lentement celui qu'il avait en main. Des articles de journaux rapportant des faits divers y étaient collectionnés. L'affaire Isabelle Michaud, tuée par un récidiviste du volant. L'affaire Julien Émard, troisième victime d'un tueur en série. Les moindres développements des enquêtes et des procès y étaient consignés.

Jean-Pierre Nadeau suivait ses affaires de près.

Dans le cartable le plus ancien, les articles maintenant jaunis racontaient l'histoire de son fils. Martin Nadeau, douze ans. Sauvagement assassiné il y a quinze ans. Un meurtre horrible, commis par un ex-détenu en libération conditionnelle. Donald Chicoine avait suivi l'enfant, qui revenait à bicyclette de chez un ami. Il l'avait intercepté dans le petit boisé, juste à côté de la maison. Contrairement à d'autres cas, l'horrible attente n'avait pas été très longue pour Jean-Pierre et son épouse. Le corps de Martin avait été retrouvé seulement quelques jours plus tard. Jean-Pierre ne s'était jamais remis de la vision du corps maltraité de son fils. Son ménage y était passé. Sa vie y était passée.

Lors des funérailles de son fils, immergé dans sa douleur, assailli par les images de Martin souffrant et appelant au secours, Jean-Pierre Nadeau s'était promis de ne pas lâcher le morceau. Il aiderait les familles qui, comme lui, étaient des victimes du système carcéral.

Jean-Pierre Nadeau avait depuis fondé une association qui se consacrait à cette tâche. Aider les familles, d'abord. Et aussi dénoncer le traitement selon lui beaucoup trop libéral dont jouissaient les prisonniers au Canada, ce qui incluait, à son avis, les séjours en maison de transition.

En dix ans, il avait fait bien du progrès. Il avait obtenu la reconnaissance publique. On l'invitait sur les plateaux de télé. Il avait fait changer des lois. Il avait aussi causé bien des maux de tête aux responsables des systèmes carcéraux, tant provincial que fédéral. Il avait dénoncé en bloc les prisons trop confortables, les libérations conditionnelles hâtives, le recours rapide aux maisons de transition et autres établissements à sécurité minimum.

Il les avait bien embêtés, ces fonctionnaires des prisons, se dit-il avec un petit rire intérieur. Souvent, d'ailleurs, grâce à ces annonces dans le journal. À tous coups, sa technique était la même. Il appelait pour répondre à l'annonce. Se présentait comme un intervenant de grande expérience, qui avait changé de résidence à cause de sa conjointe et se cherchait un nouvel emploi. On lui fixait un lieu et une heure pour une entrevue d'embauche. Il connaissait ainsi l'adresse de la maison de transition. Une information capitale, puisque les maisons de transition se fondent habituellement dans le décor du quartier, sans que les voisins connaissent la nature exacte des établissements. Lors de la conversation, il essayait d'en savoir le maximum sur la provenance des pensionnaires : de quel pénitencier ou prison venaient-ils ?

Ensuite, il coulait l'information aux médias.

Ça faisait généralement un bon tapage. Les voisins, horrifiés à l'idée qu'eux-mêmes ou leurs enfants côtoient d'ex-détenus de si près, se scandalisaient. Ils signaient des pétitions qu'ils envoyaient aux arrondissements. Ils écrivaient des lettres aux journaux. Sous la pression populaire, les maisons de transition avaient souvent été contraintes de déménager des pensionnaires gênants. Chaque fois, c'était pour Jean-Pierre Nadeau une victoire personnelle.

Il adopta la même technique pour cette maison. Il se présenta comme un intervenant qui comptait plus de quinze ans d'expérience dans un organisme communautaire d'aide aux détenus. Au téléphone, le chef de service s'était montré ouvert, mais prudent. Il commença par lui donner l'adresse où faire parvenir son curriculum vitæ, au ministère de la Sécurité publique du Canada.

La maison de transition hébergeait donc des prisonniers de pénitenciers fédéraux, en déduisit Jean-Pierre.

Il demanda alors des détails sur la localisation de la maison, prétextant vouloir évaluer le trajet qu'il aurait à faire si d'aventure il était embauché. Il joua au régional récemment arrivé en ville. Le chef de service hésita.

Jean-Pierre attendit. Peu de gens savaient résister au silence.

— Nous sommes dans le nord de Montréal. Au nord du Métropolitain, lâcha-t-il, sans plus de précisions.

Au moment où l'homme lui dit cela, Jean-Pierre entendit, en fond sonore, des cris d'enfants. Il était trois heures. Sortie des classes. Ils sont près d'une cour d'école, nota-t-il.

— Et vous recevez des détenus venant d'un peu partout, j'imagine?

— Oui, c'est ça.

— Je vous remercie. Je vous ferai parvenir mon curriculum vitæ dès aujourd'hui.

Jean-Pierre raccrocha. Une maison de transition à côté d'une école. Des détenus fédéraux, donc accusés de crimes graves. Possiblement de La Macaza, où l'on enfermait notamment les agresseurs sexuels. Les pédophiles.

Il réfléchit. Puis, il commença sa recherche dans les cartables rouges. Un détenu agresseur sexuel, donc incarcéré à La Macaza, il y a vingt-cinq ans. Les heures passèrent. Mais Jean-Pierre Nadeau était un homme obstiné. Et il avait tout son temps. Il finit par ouvrir l'un des cartables les plus anciens. Affaire Sébastien Labrie. Treize ans, agressé sexuellement dans une carrière de sable. Puis tué par strangulation. Coupable : Stéphane Bellevue, un colosse de vingt-deux ans. Sentence : vingt-cinq ans fermes. Détenu à La Macaza.

Il fit un calcul rapide, avec ce cas qu'il connaissait très bien. Les années concordaient.

Jean-Pierre prit le téléphone pour appeler la secrétaire de son association. Tous les membres de son organisme faisaient partie des familles de victimes d'actes criminels. Depuis des années, la secrétaire du groupe était Nathalie Labrie. La mère de Sébastien. Le lendemain, elle avait une confirmation du ministère, tenu de transmettre l'information aux familles des victimes qui en faisaient la demande. Stéphane Bellevue résidait depuis une semaine dans une maison de transition du nord de Montréal.

Bingo, se dit Jean-Pierre Nadeau.

Il décrocha le téléphone. Composa le numéro du journal et demanda à parler à son contact habituel, un vieux journaliste de faits divers qui avait fait sa renommée dans les pages d'*Allô Police*. Un pro. Il allait trouver l'endroit et faire confirmer toute l'histoire, se dit Jean-Pierre.

De fait, le lendemain, l'histoire s'étalait à la une du tabloïd. Photo de la maison de transition, sise boulevard Saint-Laurent, tout près d'une école. On voyait clairement les enfants jouer dans la cour juste à côté. « La nouvelle maison de Stéphane Bellevue », avait titré le chef de pupitre. Un beau titre, des lettres bien grasses, d'un jaune voyant. Le reportage était tombé comme une tonne de briques dans une actualité assez molle. Les télés avaient repris la nouvelle en boucle toute la journée. Tous les médias avaient emboîté le pas le lendemain, repassant de vieilles images de l'arrestation de Bellevue et d'anciennes photos de Sébastien Labrie.

Jean-Pierre Nadeau, lunettes sur le nez, découpa la première page et l'article. Il plia le tout en quatre et colla son pliage sur une page blanche immaculée. Il inséra la page dans un cartable.

Rouge, le cartable.

5

Souvenirs en boîte

Je m'appelle Isabelle, j'ai six ans, et je cherche une famille. J'ai vécu cinq ans avec ma mère, mais elle est désormais incapable de s'occuper de moi. Je suis une enfant très anxieuse, j'ai souvent besoin d'être rassurée. Je n'ai pas de retard scolaire. Contactez Michel Daoust, Direction de la protection de la jeunesse.

Marie Dumais regarda la coupure de journal, vieillie et jaunie, surmontée du sigle de la DPJ. Cette petite annonce, parue au début des années quatre-vingt, c'était l'un des souvenirs que lui avait légués sa mère en mourant. Louise était morte l'an dernier. Un cancer fulgurant.

Louise, morte. C'était presque une impossibilité, se dit-elle en refoulant ses larmes.

Elle avait légué à ses deux filles deux boîtes de souvenirs, étiquetées à leurs noms. Il y avait des mèches de cheveux récupérées chez le coiffeur, des dessins, des travaux scolaires que Louise avait jugés marquants. Quand Louise lui manquait, Marie fouillait dans sa boîte. Elle y retrouvait la main patiente de sa mère, qui avait collectionné un à un ces petits morceaux de leurs vies d'enfants.

Dans la boîte de Catherine, la sœur aînée de Marie, il y avait de mignons souliers de bébé, des cierges de baptême. Dans celle de Marie, il n'y avait rien de tout cela. Elle était arrivée dans la famille de Louise et Gilles à l'âge de sept ans. La petite Isabelle de l'annonce, c'était elle.

Avec cette annonce dans le journal, une pratique très inhabituelle à la DPJ à l'époque, on avait voulu lui trouver une famille plutôt que de l'envoyer vivre en centre d'hébergement. C'est grâce à ces quelques phrases, publiées, ironiquement, dans un quotidien où elle travaillait maintenant depuis des années, qu'elle avait abouti dans une vraie famille. Avec Louise, Gilles et Catherine. C'est ce qui lui avait permis de recommencer sa vie, une vie qui avait bien mal débuté aux côtés d'une mère atteinte de troubles mentaux graves.

Elle laissa son esprit dériver vers cette chambre miteuse où elle vivait avec sa mère. Sa vraie mère. Sa vie qui se résumait à un plancher sale, à des murs jaunâtres, à une pièce sordide qu'elle ne quittait jamais. Des années de solitude complète et de silence total. Sa mère la croyait l'envoyée de Dieu et était persuadée qu'elle devait l'élever en silence. La DPJ l'avait sortie de cet enfer silencieux.

Elle inséra l'annonce dans son enveloppe en plastique et considéra le contenu de la boîte avec un sourire. Louise avait gardé énormément de choses, se dit-elle. Sa mère avait collé dans de grands albums certains reportages réalisés par Marie au fil des ans. Elle tourna les pages de l'un des albums. Louise avait consciencieusement collé tous ses premiers articles, écrits au temps où elle était stagiaire, même les plus insignifiants. Elle avait aussi conservé son premier vrai bon coup au journal *La Nouvelle*, où Marie travaillait toujours. Le reportage portait sur une vieille dame alitée qui vivait dans un taudis insalubre. Une histoire déchirante. Mais la mise en pages avait mal vieilli, constata Marie. Autour de la photo du taudis, saisissante, le texte formait une masse compacte, un peu rébarbative. C'était l'époque où l'on publiait encore du texte à la une, soupira-t-elle.

Elle prit le second cahier, plus récent. Elle tourna les pages, revivant en accéléré les grands reportages de sa carrière. Centres jeunesse, hôpitaux psychiatriques, écoles en milieu défavorisé : elle avait plongé, parfois pendant plusieurs semaines, dans chacun de ces endroits. Ces immersions dans des milieux difficiles étaient devenues sa marque de commerce, sa signature journalistique.

Louise avait arrêté de collectionner les coupures de journal après l'affaire Sarah Michaud. L'enquête de Marie sur l'histoire de cette jeune victime d'intimidation avait fait beaucoup de bruit. Ce cas avait bouleversé la journaliste, assez pour la mener en thérapie. La profonde solitude de cette jeune fille, objet d'incessantes moqueries, avait résonné comme un écho à sa propre enfance.

Pendant des années, Marie avait refoulé ses premières années de vie, passées aux côtés de sa mère biologique. Elle avait tenté de les rayer de son esprit. Mais le cerveau n'oublie jamais. Après son enquête sur Sarah Michaud, elle s'était retrouvée dans un cul-de-sac. La thérapie avait fait ressurgir ces cinq premières années de vie.

Heureusement. Elle vivait mieux depuis qu'elle faisait face à son passé.

Mais elle était toujours aussi seule. Encore plus seule depuis la mort de Louise.

Elle regarda la photo du visage ingrat de Sarah Michaud, collée à côté de son premier article. En fermant les yeux, elle revit les rapides de la rivière dans laquelle la jeune fille s'était noyée.

Sarah Michaud n'avait pas eu d'annonce dans le journal pour la sauver.

6

Folklore montréalais

Librairie à vendre. Contactez directement le propriétaire.
Valérien Neveu était fatigué. D'abord, il se faisait vieux. Soixante-quinze ans la semaine prochaine. Trop vieux pour travailler. Il était fatigué de transporter des caisses de livres, de monter dans les échelles pour les placer dans un ordre, hum, tout relatif.

L'ordre. La discipline. Assis derrière son comptoir sans caisse enregistreuse, il sourit. Il avait toujours été allergique à ces affaires-là. Il avait toujours refusé le chemin tracé devant lui. Sa mère aurait voulu qu'il soit docteur. Il aurait pu. Mais il ne voulait pas.

Pauvre maman. Elle ne s'était jamais vraiment remise de sa décision de devenir libraire.

Si au moins il avait été responsable d'une grande librairie. Qui aurait fait partie d'une grande chaîne, tiens. Avec la possibilité de devenir patron de ladite grande chaîne, d'être invité au Salon du livre de Paris, de rencontrer les auteurs pour discuter littérature, et tout le bataclan.

Il regarda autour de lui et sourit encore plus largement.

Il y a quarante ans, il avait choisi un grand appartement au rez-de-chaussée dans le Mile End. Il l'avait acheté pour une bouchée de pain, avec ses économies d'alors. À l'époque, soyons francs, le Mile End était un trou. Un trou où s'installaient majoritairement les immigrants, quelques Anglais fauchés et un petit noyau de francophones pas très argentés eux non plus.

Valérien Neveu avait lui-même arraché le contreplaqué et la marqueterie pour révéler les planchers d'époque et les poutres de bois sombre au plafond. Il avait couvert tous les murs d'étagères en bois. Au centre de ce qui était autrefois le salon, profitant de la hauteur de la pièce, il avait bâti une petite mezzanine, avec un grand escalier. Il avait posé des étagères sur la mezzanine, dans les escaliers. Il avait acheté de grandes échelles en bois qu'il avait appuyées sur les murs, un peu partout dans l'appartement. Ça avait donné une librairie.

Il s'était gardé pour lui la cuisine, située à l'arrière, et une pièce double attenante, en guise de salon-chambre. Disons que les tempêtes de neige ne l'avaient jamais empêché d'aller au boulot, se dit-il avec un petit rire silencieux.

Évidemment, il n'avait pas les moyens de se lancer dans le neuf. Il avait donc opté pour l'usagé. Il avait passé des annonces dans les journaux locaux de Montréal. Il avait reçu des caisses de livres. Il avait progressivement rempli ses étagères. C'est comme ça que la librairie Batèche était née.

En entrant, on avait l'impression de pénétrer dans une caverne remplie de livres. De porte en porte, on pouvait bouquiner dans toutes les pièces. Salon, salle à manger et chambres à coucher étaient également bordées de rayonnages. Sur la porte qui donnait sur la cuisine, son seul bout d'univers, il avait posé un panneau STOP.

Au fil des ans, il avait ajouté de grandes tables de bois, au centre, où il déposait les ouvrages les plus précieux. Pas les plus récents, non, jamais les plus récents. Il mettait là les livres qui, selon lui, avaient la plus grande valeur. Au premier plan, les livres de Gaston Miron, son poète de prédilection, qui l'avait inspiré pour le choix du nom de la librairie.

Il avait acheté de vieux fauteuils rouges aux cinémas de quartier qui fermaient. Il les avait disposés au hasard dans les pièces. Un jour, un habitué lui avait lancé, à la blague, qu'il devrait installer un lit, vu le nombre de personnes qui aimaient lire au lit. Il l'avait fait. Un tout petit lit, recouvert d'une courtepointe, situé dans l'une des chambres du fond. Il servait peu. Mais Valérien l'aimait bien.

Son chat, Bizoune, était souvent couché sur ce lit. Comme le lit, les fauteuils de cinéma et les poutres apparentes, le chat avait fini par faire partie du folklore de la librairie Batèche. Car au fil des ans, une telle chose que le folklore de la librairie Batèche était né. À son immense surprise.

Ça avait tenu à deux choses. D'abord, l'article dans le journal. Un jour d'hiver particulièrement froid, un Français avait poussé la porte. Il avait fait le tour. Il lui avait posé toutes sortes de questions. Il s'était intéressé à Miron. Voyant cela, Neveu était allé chercher une bouteille de scotch dans sa cuisine, question de le réchauffer. Il en avait servi un verre au bonhomme. Il avait déclamé du Miron en trinquant pendant une bonne heure. L'autre avait eu l'air d'aimer ça. Puis, il était parti, sans plus de commentaires.

Valérien l'avait complètement oublié quand l'article était paru dans *Le Monde*. Son neveu, branché sur les médias, l'avait appelé.

— Tout le monde parle de toi, mononcle ! Tu es dans le journal *Le Monde* !

Valérien était allé acheter le journal. « Tout le charme de Montréal est concentré dans cette librairie folklorique, dont le nom s'inspire d'ailleurs d'un juron typiquement québécois, la librairie Batèche. » C'était la première phrase de l'article du Français. Il était journaliste dans les pages touristiques. Le grand journal européen avait décidé de faire découvrir « Montréal autrement » à ses lecteurs. Et sa librairie faisait partie des « 50 lieux à découvrir » de la « ville aux 100 clochers ».

Valérien en était resté sans voix.

L'affluence avait décuplé avec ce papier. Plusieurs médias montréalais, froissés que les Français aient découvert un joyau inconnu dans leur ville, avaient débarqué. Il y avait eu des articles, des reportages à la télé. Ils montraient tous la même chose : la caverne de livres, le STOP, le chat, les échelles, le lit. Et lui, évidemment, le vieil admirateur de Gaston Miron. *So typical,* comme disaient les Anglais. Folklorique, à l'ancienne, charmant, *vintage,* bourré de cachet, Valérien avait collectionné les clichés remâchés par tout le monde sur sa librairie. Il avait ri.

L'important, c'est que ça lui avait amené du monde. Des acheteurs. Et aussi une nouvelle clientèle de vendeurs, plus nantie, qui avait de meilleurs livres à lui céder.

L'autre changement qui avait fait sa chance, c'était la transformation du quartier. Ces dix dernières années, le Mile End était devenu le nouveau Plateau. Les immigrants fauchés avaient dû céder leur place aux bourgeois bohèmes friqués en quête d'un autre quartier à coloniser. Sa librairie n'en avait pris que plus de valeur.

Il avait déjà eu plusieurs offres d'achat. Il les avait toutes refusées. Il ne voulait pas vendre à n'importe qui, surtout pas à un homme d'affaires. En passant cette annonce dans un journal dont le tirage était presque confidentiel, il avait lancé l'équivalent d'une bouteille à la mer. Il fallait qu'il trouve le bon acheteur.

Il n'avait pas eu beaucoup de réponses à son annonce. Aucune, en fait, sauf ce gars, il y a deux jours. Un jeune, s'il en croyait sa voix. Il venait de Québec. Valérien regarda sa montre. Il était un peu en retard.

La porte s'ouvrit, avec le tintement de la clochette qu'il n'avait pas changée depuis trente-cinq ans. Un gars entra. Un jeune. Teint bistre, cheveux mi-longs, sombres. De toutes petites lunettes de corne. Il lui tendit la main.

— Bonjour, monsieur Neveu. Louis Hétu.

— Heureux de vous rencontrer.

Le vieux saisit sa main. C'était le premier test. Il voulait une poignée de main ferme. Pas de main molle. Pas de main moite. Mais pas des serres d'oiseau non plus.

Test numéro un : concluant, se dit-il.

— Tu viens de Québec ?

— Oui. Je suis né là.

— Et tu fais quoi, présentement ?

— Je travaille pour un éditeur.

— Pis ? T'aimes pas ça ?

— Oui, j'ai beaucoup aimé ça. Mais disons que ce n'est pas un éditeur très établi. Il existe depuis pas très longtemps. Je suis le seul employé, avec une secrétaire. C'est assez prenant, disons. J'ai le goût de faire autre chose.

— C'est quelle maison ?

Louis Hétu avait la curieuse impression de passer une entrevue pour avoir un poste.

— Scherzo.

Valérien considéra son interlocuteur d'un œil nouveau. Scherzo, c'était une petite maison, entreprenante. Qui brillait par son choix avisé de titres, mais aussi par l'audace de ses couvertures.

— Qu'est-ce que tu as édité, comme livres ?

— Ben... un exemple : le dernier Sylvie Chénier.

Le vieux se souvenait parfaitement de ce livre. Un très bon livre.

— Et c'est toi qui as eu l'idée de la couverture ?

— Hé oui ! J'ai passé des heures à la procure ecclésiastique pour trouver une image de Sacré-Cœur à coller sur une noune.

Le jeune et le vieux éclatèrent de rire de concert.

L'acheteur était trouvé.

II

Gestations

1

L'ogre

Marie Dumais ramassa le journal en jurant. Elle le jeta sur sa table de cuisine. Il glissa un peu trop loin et faucha au passage sa tasse de café. La tasse s'écrasa sur le plancher. Le café se répandit en mille gouttelettes.

Décidément, cette journée commençait mal.

Après avoir essuyé le café, elle s'assit à la table et regarda la une du journal. Un immeuble du boulevard Saint-Laurent. Et, en mortaise, un visage. Celui de Stéphane Bellevue.

La photo était vieille, elle datait du procès, il y a vingt-cinq ans. Elle était enfant, à l'époque, mais, comme tout le monde au Québec, elle n'avait pu échapper à cette histoire. Stéphane Bellevue, vingt-deux ans. Un colosse aux cheveux sombres et aux lèvres épaisses. Enfance troublée, séjours en centres sécuritaires, intelligence lente. Puis, à sa sortie, quelques années de petite délinquance et, enfin, cette agression, ce meurtre sordide. L'affaire Bellevue avait horrifié la province entière, soulevé une indignation sans précédent. Lors de son transfert en prison, des dizaines de citoyens s'étaient déplacés pour lui lancer des objets en l'insultant.

Et maintenant, Bellevue était sorti de prison. Et elle n'avait pas été foutue d'avoir la nouvelle.

Merde.

Elle prit son portable, signala par courriel au patron qu'elle souhaitait suivre cette nouvelle. La réponse ne tarda pas : il sautait sur l'occasion. Pas surprenant, se dit-elle en souriant intérieurement.

Le patron avait changé depuis deux ans. Le vieux avait pris sa retraite. Elle avait pleuré ce jour-là. Elle l'aimait, le vieux patron taciturne.

Un plus jeune l'avait remplacé. Comme l'ancien, le nouveau était grand, imposant. Dans quelques années, lorsqu'il porterait des lunettes de lecture, il deviendrait un sosie du précédent, outre le fait qu'il était maniaque du vélo. Jamais le vieux ne serait monté sur un vélo. Et le nouveau boss était bien plus agressif côté nouvelles. Il avait faim.

Marie sentit la pression monter sous la forme d'un léger mal de tête.

Après plusieurs heures d'ouvrage, le mal de tête s'était installé pour de bon. Elle n'arrivait à rien. Les relations publiques du service correctionnel refusaient toute entrevue pour Stéphane Bellevue. Jeannine Côté, la dame qui s'était occupée de lui pendant son séjour en prison, que les médias avaient surnommée son « ange gardien », ne répondait pas à son téléphone. Les responsables de la maison de transition la dirigeaient vers les relations publiques. Tout ce qu'elle avait, c'étaient les voisins qui s'insurgeaient contre la présence d'un pédophile dans leur rue. Et ça, ça roulait déjà dans l'univers médiatique depuis ce matin. Aussi bien dire qu'elle n'avait rien. Pas la moindre parcelle d'info exclusive.

Elle revint au bureau et ressortit les articles sur Bellevue. Au troisième article, elle tomba sur un nom connu. Philippe Champlain. Criminologue. Elle connaissait ce gars-là. Elle l'avait interviewé à plusieurs reprises lors de son passage aux faits divers. Un Français bavard, légèrement parano, un peu cow-boy. Les articles disaient qu'il avait fait l'évaluation de Bellevue après sa sentence. Elle pianota dans ses relations, trouva un numéro. Un cellulaire.

Miracle numéro un, l'homme répondit. Miracle numéro deux, il se rappelait d'elle. Miracle numéro trois, il avait pris sa retraite. Il était donc tout à fait libre de parler.

L'homme demanda à la rencontrer.

Marie sentit le souffle de la nouvelle lui chatouiller l'intérieur. On ne demandait pas à rencontrer une journaliste sans avoir quelque chose à dire. Le lieu du rendez-vous était cependant un peu curieux, se dit-elle. Philippe Champlain lui avait donné rendez-vous au Solid Gold, dans le nord de la ville. Un bar de danseuses.

Le milieu de l'après-midi, au Solid Gold, était assez calme. Personne aux tables. Les filles, habillées en infirmières sexy, répétaient leur numéro du soir. Le patron regardait le tout d'un œil morne. Il lui désigna le criminologue d'un geste las. Philippe Champlain était dans un coin de la salle, assis devant une bière. Marie commanda la même chose.

— Je suis sûre que vous vous dites que c'est un drôle d'endroit.pour une rencontre, lança Philippe Champlain avant même qu'elle soit assise.

Marie opina.

— C'est un bar réglo. Pas d'indics de police dans le coin. Pas de mouchards. Le patron est un de mes amis.

Il fit un clin d'œil à l'homme éteint au bar, qui lui rendit mollement son geste.

— Pour ce que j'ai à vous dire, c'est parfait.

Marie sentit l'ivresse du scoop céder lentement sa place à la crainte de s'être fait attraper dans les filets d'un paranoïaque. Pas un autre ! Dieu que ça lui était arrivé souvent.

— Stéphane Bellevue. Quand j'ai vu le journal, ce matin, ça m'a replongé vingt-cinq ans en arrière. Vous savez, c'était tout un cas, celui-là. Je ne l'ai jamais oublié. J'ai été en contact assez longtemps avec lui. On a fait appel à moi pour régler certaines… situations en prison. C'était un détenu très difficile. Il se mettait tout le monde à dos en un temps record. Il pouvait crier pendant des heures quand il voulait quelque chose. Crier, ou chanter. Les gardiens n'en pouvaient plus. Une fois, j'avais dû lui promettre une télé pour qu'il arrête.

Le regard de Philippe Champlain était fixé sur les deux jeunes femmes qui déboutonnaient mutuellement leurs blouses blanches très ajustées. Mais manifestement, il ne les voyait pas. Ses yeux contemplaient un colosse de vingt-deux ans. Stéphane Bellevue, après son arrestation.

Après avoir participé à la battue qui visait à retrouver Sébastien Labrie, Bellevue avait finalement été coincé par les policiers. Il avait tout avoué.

Bellevue, qui travaillait au même endroit que le jeune, chez un agriculteur, avait emmené Sébastien Labrie dans une roulotte désaffectée, dans la clairière d'un boisé.

Bellevue avait demandé une fellation au jeune. Celui-ci avait refusé et tenté de s'enfuir. C'est là que Bellevue l'avait agressé sexuellement. Après l'acte, il l'avait emmené dehors et avait rempli sa bouche de terre pour l'étouffer. Il l'avait achevé de plusieurs coups de couteau. Il avait jeté le corps dans une carrière improvisée, juste à côté de la roulotte.

— Ça, ce sont les faits, incontestables, dit le criminologue. Bellevue a tout avoué.

Marie était médusée de se faire resservir, vingt-cinq ans plus tard, un tel concentré d'horreur avec le rythme saccadé d'une mitraillette. Par un gars qui regardait deux filles se déshabiller, par-dessus le marché.

— Mais il faut aller au-delà de ces faits, madame Dumais, si vous voulez vraiment raconter l'histoire de Bellevue.

Philippe Champlain délaissa les deux danseuses du regard et se tourna vers la journaliste.

— Pour comprendre Bellevue, il faut remonter loin en arrière. Que savez-vous de sa vie ?

— Pas grand-chose. Enfance troublée, ballotté

d'un milieu d'accueil à l'autre, si ma mémoire est bonne. Délinquance à l'adolescence, des crimes de plus en plus graves, puis le meurtre.

— C'est peu. Il va falloir chercher.

— Pourquoi? Je veux écrire un papier de nouvelle. Pas revenir trente ans en arrière.

— Personne n'a jamais véritablement écrit l'histoire de Stéphane Bellevue, lui répondit le criminologue en se penchant en avant.

Son débit s'accéléra encore.

— Comment est-il devenu ce qu'il est, un agresseur, un meurtrier? Et surtout, pourquoi suscite-t-il cette réaction d'horreur chez les gens?

— Les pédophiles sont toujours les criminels qui provoquent le plus de répulsion. S'en prendre sexuellement à un enfant... Vous venez de décrire le crime de Bellevue. C'était atroce.

— Oui, mais les cas de pédophiles et de meurtriers ne manquent pas. Pourquoi Bellevue a-t-il déclenché une telle hargne populaire? Pourquoi les gens sont-ils allés jusqu'à lui jeter des pierres après son procès? Pourquoi, vingt-cinq ans plus tard, son visage à la une d'un journal fait-il encore vendre?

Le silence se déploya entre eux. Philippe Champlain répondit à sa propre question.

— Parce que Bellevue, c'est un ogre, madame Dumais. Il est grand, immense même, gros, fort, pas rapide d'esprit. Et il s'en prend à des enfants. L'ogre, madame Dumais. Vous savez ce que ça représente, comme symbole, dans notre inconscient collectif? C'est

54

un personnage terrifiant, imprimé à travers les contes dans le cerveau de tous les enfants dès leur plus jeune âge. Bellevue fait peur aux adultes parce qu'il représente l'ogre qui se cachait dans leur placard chaque soir quand ils étaient enfants. Je vous le dis, madame Dumais. Stéphane Bellevue, c'est l'ogre. Et l'ogre a une histoire. Vous devriez raconter cette histoire.

Après cette tirade enflammée, Champlain se retourna d'un coup sec vers la scène, comme si l'entretien était terminé. Les infirmières étaient parties. Une dominatrice à talons hauts se tortillait maintenant autour du poteau.

L'ogre. Quel titre, pensa immédiatement Marie. C'était le moment de lancer sa ligne.

— Et si je voulais effectivement raconter cette histoire, monsieur Champlain, je commencerais par où ?

— Par ici.

Le criminologue sortit un sac de sous la table. Modèle sac d'école noir. Il en sortit un épais dossier.

— Voici toutes les évaluations qui ont été faites de lui lors de ses nombreux séjours en prison. J'y ai joint tous les rapports psychiatriques réalisés à l'hôpital. Évidemment, vous tairez vos sources, je ne vous ai jamais donné cela… Ce sera une lecture fort intéressante, j'en suis convaincu. Il n'y a pas eu de procès dans le cas Bellevue, puisqu'il a plaidé coupable. Les rapports rédigés au moment de ses incarcérations précédentes n'ont donc pas été rendus publics. J'attire votre attention sur celui d'une collègue, effectué six ans avant le meurtre du jeune Labrie. Il n'avait alors commis aucun crime contre la personne. Il avait seulement fait des vols, allumé des incendies.

Champlain feuilleta un document, chaussa des lunettes de lecture, puis s'arrêta sur une page.

« Ce qui est bien, chez Stéphane Bellevue, c'est qu'il a accepté de parler de sa dynamique et d'amorcer un travail. Ce qui est dommage, c'est que le temps est restreint. Ce qui est grave, c'est que la récidive est assurée. La violence montre une escalade. Il y aura des victimes. »

— Prémonitoire, non ?

Le criminologue regarda Marie par-dessus ses lunettes.

Marie hocha la tête. Ce rapport était une bombe.

— Mais ça, c'est la fin de l'histoire. Presque la fin, en fait. Pour vraiment cerner Bellevue, il faut commencer par le début, dit le criminologue.

Philippe Champlain sortit une carte professionnelle de sa poche avant. Il griffonna un nom et un numéro de téléphone au verso. Il la lui tendit en la regardant dans les yeux.

— Et au début, madame Dumais, il y a sa mère.

2

Premier mois

Ce soir, c'était soir de fête, avait décidé Poulette. Elle était allée à un mariage.

Elle s'était payé une robe de princesse pour l'occasion. Satin lilas, constellé de paillettes. Elle était venue travailler dans cette tenue de Cendrillon. Et elle avait offert la bière à tout le monde. Pensez donc, c'était fête ce soir.

À son entrée au Matador, Phil l'avait saluée d'un long sifflet admiratif. La vue de sa chair noire comprimée dans le satin mauve était spectaculaire.

— Dis donc, Poulette, d'après moi, ça va être ta soirée!

Phil aimait bien Poulette. C'était presque sa préférée. Presque, parce que la préférée de tout le monde, ici, c'était Jade. Même le Prof lui glissait de temps en temps une roche gratuite. Il lui refilait des pipes à crack. Il lui payait un repas.

Certaines filles étaient jalouses de la petite dernière, trop populaire à leur goût. Jade s'était fait tapocher dans la rue les premières semaines. On lui avait volé son argent.

Mais la doyenne, Vanessa, l'avait défendue. Elle avait pris la petite sous son aile. À elle aussi, c'était sa préférée.

Ce soir, donc, c'était fête. Les filles buvaient la bière apportée par Poulette dans l'une des chambres, affalées sur le lit cabossé. Le début de soirée était calme, les clients probablement repoussés par le crachin qui mouillait la Sainte-Catherine. Phil avait lui aussi quitté son *desk* pour se joindre au party. Une bière gratuite, ça ne se refuse pas.

Vanessa, comme toujours, était déjà assez avancée. Elle se plaignait, la voix pâteuse, des travaux qui ralentissaient son trajet vers le centre-ville en soirée.

— Maudit pont Champlain à marde. Dès que je le vois, j'ai mal au cœur, bébé.

Vanessa venait toujours au boulot au volant de sa voiture, qu'elle garait dans une ruelle adjacente. Elle racontait à tout le monde qu'elle habitait en banlieue, dans une grande maison, avec un grand terrain, qu'elle avait un fils qui allait entrer au secondaire à l'école privée. Phil ne savait pas trop s'il la croyait. Mais si c'était un mensonge, il fallait reconnaître qu'il était remarquablement constant. Elle s'en tenait toujours à la même histoire. Et son fils progressait annuellement dans son parcours scolaire.

Phil leur raconta pour sa part ses ennuis de spa. Il avait fait venir un réparateur, un jeune, qui avait mal fait le travail. Il avait dû repayer pour faire réparer le coûteux joujou.

— Les jeunes, de nos jours, ils botchent l'ouvrage, lança-t-il en tétant sa bière.

Poulette, elle, avait des ennuis familiaux. Sa vieille

mère, d'origine haïtienne, était au bord de la démence. Selon Poulette, elle devait être placée. Or, sa sœur s'y opposait.

— Elle me regarde de haut, elle m'a toujours regardée de haut, ragea la grande Noire. Elle, elle est secrétaire, elle a réussi, moi, je suis juste une plotte. Toi, Jade, as-tu des frères et sœurs?

Tout le monde regarda Jade. Tout le monde était curieux d'entendre la réponse. Jade ne disait jamais rien sur sa vie. Elle était la seule qui vivait ici, au Matador. Elle louait une chambre au dernier étage. Elle n'avait pas de maison. Pas de famille connue. Personne n'était jamais venu la voir.

Jade venait de poffer. Elle avait un grand sourire artificiel accroché aux lèvres.

— Oui. Un grand frère. Une grande sœur.

Poulette, voyant qu'il y avait du répondant, poussa sa chance.

— Et tu as grandi où?

— À Québec.

— Avec tes parents?

— Mes parents m'ont mis dehors à cause de la dope.

Phil saisit la balle au bond.

— T'avais quel âge?

— Dix-sept ans.

— En fait, bébé, ce que tout le monde rêve de savoir, dit Vanessa en roulant des yeux, c'est comment t'as abouti ici.

Jade regarda Vanessa. À travers le brouillard du

crack, elle lui en voulait de venir troubler son buzz avec des souvenirs peu agréables. D'un autre côté, elle avait une dette envers la grande blonde. Elle l'avait protégée dans la rue. Tout se payait ici, et c'était l'heure du paiement. Protection contre souvenirs.

— En secondaire 4, à l'école, on a fait un échange. Avec une école de Montréal. Montréal-Nord, en fait. J'ai rencontré un gars, un Noir. Je suis tombée amoureuse de lui. Il vendait de la dope. Il m'en a donné. J'ai accroché. Mon père était super straight, un ancien curé. Il était plus capable. À la fin de mon secondaire il m'a mis dehors.

Jade se tut, espérant en avoir terminé. Mais Vanessa n'allait pas la laisser s'arrêter en si bon chemin.

— Pis après?

— J'ai pris l'autobus pour Montréal et je me suis retrouvée chez mon chum. On a fait le party, on a pris de la dope en masse. Il était super fin avec moi, il m'achetait toutes sortes d'affaires. Quand il a voulu que je commence à danser dans un bar, j'ai moins aimé ça. Mais j'avais pas vraiment le choix. J'avais plus beaucoup d'endroits où aller. Un soir, il y a eu une fusillade dans le bar. Il a été tué. J'en ai profité pour changer d'air. Pis j'ai abouti ici.

Jade avait délibérément sauté un grand pan de sa vie. La dette était payée. Juju, c'était son secret.

L'histoire était finie, et le party aussi. Un client entra, un habitué. Poulette partit avec lui dans une autre chambre. Phil retourna à son *desk*. Jade avait soudainement mal au cœur.

— T'es toute pâle, bébé, dit Vanessa.

Jade fonça vers les toilettes. Elle dégueula ses tripes. La porte était restée entrouverte. Vanessa s'appuya contre le chambranle, les bras croisés. Elle semblait soudain moins soûle. Elle fixait intensément Jade de ses yeux de chat.

— Dis donc, bébé, prends-tu des clients pas de condom, toi?

3

La Belle Affaire, T. C. Boyle

Louis Hétu prit possession de la librairie Batèche deux mois plus tard. Le vieux Neveu avait mis ces huit semaines à profit pour lui montrer comment faire rouler le commerce. Quel était le prix normal pour des livres d'occasion, selon le type de livres et le degré d'usure. Qui vendait. Qui étaient les habitués. Quel était le système de rangement de la librairie. Sous ses dehors fantaisistes, c'était un homme plutôt méticuleux.

Neveu lui avait vendu la librairie à un prix d'ami. Il aurait pu en tirer beaucoup plus. Mais le vieux tenait à céder son commerce à quelqu'un qui aimait les livres. Et les chances qu'un amoureux des livres soit également riche étaient plutôt minces.

Louis avait quelques certificats d'obligations, qu'il avait encaissés pour payer la mise de fonds. Il avait hypothéqué le reste. Parée de son aura de folklore, la librairie Batèche était un commerce qui se portait plutôt bien. Et en plus, il n'avait pas de loyer à payer puisqu'il habitait sur place.

À son arrivée officielle à titre de propriétaire, il se permit quelques changements, en prenant bien soin de conserver l'esprit des lieux. Il suspendit une grande ardoise derrière la caisse pour y écrire chaque semaine de courts extraits des livres qu'il aimait. Il acheta une machine à espresso, qui trônait près de la caisse. Il y avait aussi du thé. Pas de tisanes. Il détestait les tisanes.

Dans l'une des chambres (pas celle du lit, l'autre), il posa une vieille machine à écrire sur une table, avec une chaise en bois dénichée dans le débarras de ses parents. En s'excusant intérieurement auprès du vieux Neveu, il sacrifia une étagère de livres pour installer, sur le mur, un grand babillard de liège. Les gens qui visitaient la librairie étaient invités à écrire une phrase ou deux sur la machine et à épingler leur œuvre sur le babillard, en signant. Cette dernière initiative avait connu un franc succès. Tout le monde voulait être un auteur.

Seules concessions au progrès, il acheta une vraie caisse enregistreuse ainsi qu'un terminal pour les cartes de débit et de crédit. Il fallait quand même être de son temps.

Il avait appris à connaître les habitués. Valérien Neveu l'avait informé des goûts de ses clients réguliers. Mme Nadeau ne jurait que par le nouvel âge et la croissance personnelle. M. Bissonnette aimait la science-fiction. Isabelle l'étudiante aimait la poésie, la plus hermétique possible. Mme Gagnon voulait de bonnes histoires et il fallait que le livre l'accroche dès la première phrase. Pour Mme Ouimet, il ne fallait pas que ça soit trop *écrit*. Une telle aimait un auteur en particulier. Un tel ne savait jamais quoi acheter : il fallait lui faire des suggestions.

Louis avait pris des notes. Il avait fini par reconnaître les visages. Quelques habitués dont lui avait parlé Neveu ne s'étaient pas encore pointés depuis qu'il avait acheté l'endroit. Il se demandait s'il allait les reconnaître.

Cette matinée avait été plutôt tranquille. C'est ce qu'il aimait dans son nouveau boulot : il pouvait s'asseoir confortablement dans un ancien fauteuil de cinéma et lire. Il était plongé dans le dernier Nancy Huston quand la clochette de la porte sonna. Il ne l'avait pas changée, elle lui plaisait. Une femme entra.

Elle jeta machinalement un œil au comptoir-caisse. La vue de la caisse enregistreuse stoppa brusquement son avancée. Puis, elle le vit, lui.

— M. Neveu est malade ? demanda-t-elle.

— M. Neveu a pris sa retraite, répondit Louis. Je suis le nouveau propriétaire. Je m'appelle Louis Hétu.

Il lui tendit la main.

Elle la serra à contrecœur. La déception se lisait sur son visage.

— Vous aimiez bien M. Neveu, dit-il, sur le ton de la constatation.

— Oui. Ça fait longtemps que je viens ici.

Une habituée encore non répertoriée, se dit Louis. Voyons si je peux l'identifier.

— Me permettez-vous un petit jeu ? M. Neveu m'a fait le portrait des habitués avant de me laisser le commerce. Parlez-moi des derniers titres que vous avez achetés. Et j'essaie de deviner qui vous êtes.

La femme eut un petit rire. Le jeu semblait l'intéresser. Elle surmontait sa déception. Bien, se dit Louis.

— La dernière fois que je suis venue ici, j'ai acheté trois livres. Un policier, *L'Aliéniste,* de Caleb Carr. *La Mala Hora,* de Gabriel García Márquez, dont je pensais avoir tout lu. Et une biographie de Catherine de Médicis, par Jean Orieux.

La femme croisa les bras et le regarda avec un œil narquois.

— Et vous avez aimé ?

— Beaucoup. Les trois. Une femme fascinante, Catherine de Médicis.

— Nommez-m'en d'autres, dit Louis.

Il savait déjà qui c'était. Peu de clients avaient des choix aussi éclectiques. Mais il la trouvait jolie. Il voulait prolonger la conversation.

Elle réfléchit.

— Avant, il y avait eu *L'Aveuglement,* de José Saramago. Et *Les Années,* d'Annie Ernaux.

— Aimé ? Pas aimé ?

— Pas facile à lire, le Saramago. Essoufflant, mais bon. Pas aimé le Ernaux. À ma grande déception. Normalement, j'aime tout ce qu'elle écrit.

Louis fit semblant de penser.

— Je parie que vous êtes Mme Dumais.

— Bingo, fit la femme.

Elle sourit. Ses yeux étaient d'un brun très pâle, tirant sur l'ambre. Une très jolie couleur, se dit Louis.

— Et aujourd'hui, vous me conseilleriez quoi ? M. Neveu avait toujours d'excellentes suggestions.

Et voilà le vrai test, se dit Louis. Il ne fallait pas se tromper.

— Vous avez des goûts assez diversifiés. Quel genre de livre vous voulez?

— Je traite des histoires assez lourdes à mon boulot, ces temps-ci. Quelque chose de léger. De drôle.

Léger, drôle, mais pas vide; pétillant, mais intelligent, résuma Louis pour lui-même. Pense, se dit-il. Pense vite.

— Laissez-moi y réfléchir un instant. Voulez-vous un café, en attendant? J'ai installé une machine. C'est la maison qui l'offre.

Elle accepta et entama le tour des lieux.

Louis monta dans une échelle. Selon l'ordre alphabétique, ce livre serait à peu près dans l'ancienne salle à manger. Il ne pensait pas l'avoir vendu.

— T. C. Boyle, vous connaissez? demanda-t-il.

Elle se trouvait dans une autre pièce.

— Non, répondit-elle.

Elle était dans la pièce de la machine à écrire.

Il alla la rejoindre. Elle regardait les mots écrits par les clients.

Il lui tendit le livre. *La Belle Affaire.* T. C. Boyle. L'édition reliée.

— C'est très drôle, vous allez voir. C'est comme fumer un joint.

4

La chose

Assise dans sa voiture, en route pour Saint-Jérôme, Marie Dumais était fatiguée. Il y avait eu beaucoup d'entreprises de conviction ces derniers jours. Elle avait d'abord dû persuader le patron de rester assis sur les papiers que lui avait refilés Philippe Champlain. Dormir sur une bombe, ça n'était pas trop le genre du boss. Elle avait dû discuter longuement. Oui, il fallait raconter l'histoire de Stéphane Bellevue. Mais il fallait attendre d'avoir toute l'histoire. Oui, elle allait nécessairement découvrir d'autres faits nouveaux en déroulant la pelote de laine dont le criminologue lui avait donné le bout du fil. Oui, c'était promis, ces papiers allaient être l'équivalent d'une bombe dans le ciel québécois. Mais il fallait du temps.

Du temps, c'était une denrée infiniment rare dans le merveilleux monde des médias, où l'information circulait à la vitesse d'une auto de course. Vite, vite, toujours plus vite. Elle avait donc demandé, et obtenu, d'aller à contre-courant.

Ensuite, elle avait dû convaincre la mère.

Suzanne Bellevue lui avait d'abord raccroché au nez à la seule mention du nom de son journal. Marie l'avait rappelée, avec une stratégie précise en tête. Elle avait parlé très rapidement.

— Madame Bellevue, je ne veux pas vous parler de votre garçon.

C'était faux. Mais elle avait créé un instant de surprise. Une brèche, suffisante pour qu'elle s'y engouffre.

La femme n'avait pas raccroché. Elle était au bout de la ligne, en silence.

— Je veux vous parler de vous.

Suzanne Bellevue avait écouté son laïus savamment ciselé sans mot dire.

Puis, elle avait refusé de nouveau.

Marie avait trouvé son adresse. Elle lui avait écrit une lettre. Elle l'avait rappelée, quelques jours plus tard. La femme avait accepté de la rencontrer. Sans cependant s'engager à lui donner une entrevue.

Elle était donc en route pour Saint-Jérôme. Après avoir franchi un bouchon monstre causé par des travaux sur l'autoroute 15, elle prit la sortie indiquée. Là-bas, plus au nord, l'automne se déployait sur les contreforts des Laurentides. Curieux comme on perçoit peu l'automne à Montréal, se dit Marie. L'automne, c'était sa saison préférée, et elle avait toujours l'impression de la manquer si elle restait en ville. Les feuilles tombaient, oui, mais sans style, sans explosion de couleurs. Elle s'arrangeait alors pour aller à la campagne en octobre, peu importe où, en montagne, dans les bois, pour être entourée par ces feuilles qui se mouraient dans un kaléidoscope de rouges et de jaunes.

L'automne n'était pas très visible à Saint-Jérôme non plus, surtout pas dans le stationnement du complexe de HLM où habitait Suzanne Bellevue. Un bunker de béton déprimant, planté au beau milieu d'une mer d'asphalte. Chaque fois qu'elle se trouvait devant ce type d'édifices, généralement des logements sociaux ou des écoles secondaires, Marie se demandait comment les architectes avaient pu penser que des humains pourraient être heureux dans des édifices aussi laids.

Suzanne Bellevue lui répondit au second coup de sonnette. Elle n'avait pas envie d'ouvrir, c'était manifeste. Elle l'invita à entrer d'un geste brusque.

— Café?

Marie acquiesça.

Assise à la table de la salle à manger, elle regarda autour d'elle. L'appartement était plutôt coquet. Canapés fleuris, table peinte, ordinateur dans un coin. Sur le mur, une photo. Stéphane Bellevue, jeune adulte, et une petite fille posaient devant un village de Noël. Tous les deux étaient sombres de peau et de cheveux. La petite était assise sur les genoux de Bellevue, il l'entourait de son bras. Une petite sœur, supposa Marie.

Quand on connaissait la suite de la vie de Bellevue, cette photo donnait froid dans le dos.

La mère la regarda regarder son fils.

Elle posa sa tasse sur la table et la fixa. Droit dans les yeux.

— Vous imaginez pas le nombre d'appels de journalistes que j'ai reçus depuis vingt-cinq ans. Je les haïs, les maudits journalistes.

Bonne entrée en matière, se dit Marie. Ça ne sera pas de la tarte.

— Mais vous acceptez tout de même de me recevoir, dit-elle.

La femme plissa les yeux.

— Les autres ont appelé, ils sont venus ici, ils ont parlé aux voisins, ils ont campé devant ma porte. Ils m'ont poursuivie partout. Ils m'ont fait chier, vous imaginez pas comment. Ils m'ont harcelée. Pensez-y, la mère du monstre! Mais je leur ai jamais parlé. Vous, au moins, vous êtes pas venue m'écœurer chez nous. Mais je vous aurais dit non quand même, je vous aurais même pas répondu. Mais M. Champlain m'a appelée. Il m'a parlé de vous. Il a été correct avec Stéphane, M. Champlain. Il a essayé de s'organiser pour qu'on le protège en prison.

La femme regardait la table, évitant tout contact visuel avec elle. Elle était grande, imposante. Une peau mate, des traits grossiers, des rides profondes. Elle tripotait sa tasse à l'effigie d'un chaton. Elle finit par la prendre au creux de ses mains, comme pour se réchauffer. Il faisait pourtant très chaud dans la pièce.

Puis, elle leva les yeux sur la journaliste. Elle était en colère.

— Tu sais c'est qui, le père de Stéphane?

Marie fit un signe de dénégation.

— C'est mon père. Mon père à moi. C'est ça que tu voulais savoir, j'imagine?

Marie ne dit rien. Elle était prise de court.

Puis, tout à trac, Suzanne Bellevue s'effondra. Elle alla pêcher un mouchoir dans une boîte proche.

— Ça t'en prend plus, c'est ça ?

Marie hocha la tête. Ce foutu métier lui donnait si souvent l'impression d'être un vautour.

— Je vais poser des questions. Essayez de répondre. Si c'est trop dur, dites-le-moi.

Suzanne Bellevue avait passé son enfance dans un petit village des Laurentides, au cœur de la Grande Noirceur. La vie était dure, sur le rang 4 ; la pauvreté totale. Le père travaillait pour un voisin cultivateur. La mère s'occupait des enfants le jour et travaillait le soir pour une fabrique de conserves au village. Suzanne était rapidement devenue une petite maman pour les autres enfants.

Une petite mère qui avait intérêt à bien se tenir, puisque le père était violent. Les enfants étaient battus quotidiennement. Les plus petits étaient fréquemment attachés à des arbres pour qu'ils n'aillent pas jouer dans le chemin.

— Et s'il y avait quelque chose qui ne marchait pas, qui mangeait de la marde, selon toi ? Évidemment, c'était moi. La grande.

La fin de semaine, les enfants allaient à la conserverie faire des caisses avec les boîtes. Une cenne la caisse. Régulièrement, la famille se rendait au dépotoir de la ville voisine. Le père récupérait de vieux barils de bois, qu'il revendait ensuite comme pots à fleurs.

— On aimait ça, aller à la dompe. On n'avait tellement rien qu'on était contents de revenir avec des petits cossins.

La femme peinait à raconter son histoire. L'entretien était ponctué de silences. Trop souffrant, même après cinquante ans. Marie la laissa s'égarer dans des détails parfois inutiles. Il fallait respecter son rythme.

— Quand j'ai eu douze ans, mon père s'est trouvé un autre emploi, de nuit. C'est là que l'occasion s'est présentée pour lui. En revenant de l'école, nous, les enfants, on était seuls avec lui. Ma mère était partie travailler.

L'occasion, nota Marie avec un haut-le-cœur. Et c'est bien comme ça que la chose avait dû se présenter dans l'esprit du père, se dit-elle.

La chose se déroulait toujours dans la camionnette rouge, raconta Suzanne Bellevue par petites phrases hachées. Cette camionnette, c'était la fierté du père. Il en prenait un soin jaloux, la faisait reluire les week-ends. Et la semaine, en après-midi, il couchait sa fille sur les sièges, à demi nue, et se masturbait entre ses jambes.

— Il plaçait toujours un linge en dessous de mes fesses. Il voulait pas tacher ses sièges.

Suzanne Bellevue se moucha.

— On savait même pas que c'était pas correct. Je me laissais faire.

L'implacable loi du père, pensa Marie.

— Un jour, il m'a emmenée sur le chemin de l'armée. On l'appelait de même parce qu'il y avait un champ de tir pour les soldats.

Suzanne Bellevue fit une pause.

— Ce jour-là, y'a pas eu de linge.

La femme avait repris au creux de ses mains la tasse ornée d'un chaton blanc. Marie lui toucha la main. Elle était glacée. Suzanne Bellevue la regarda. Elle avait les yeux pleins d'eau.

— J'ai pleuré, mais il s'en foutait. Il a fumé la moitié d'une cigarette et m'a donné l'autre moitié. Il a toujours fait ça, ensuite. Ça devait être une compensation, j'imagine. Quand je repense à ces cigarettes-là, mouillées par sa salive, ça me donne encore mal au cœur.

Marie avait du mal à écrire.

— À peu près un an plus tard, je me suis aperçue que j'avais plus mes règles. Un avortement, dans le temps, ça coûtait cinq cents dollars et il fallait aller à New York. Mes parents pouvaient pas payer.

Fille-mère, nota Marie. Cela vous valait généralement l'opprobre de tout le milieu, dans ce temps-là. Mais pas pour Suzanne Bellevue. Ses parents la placèrent dans une famille, ailleurs en Montérégie, le temps de sa grossesse. Officiellement, elle gardait les enfants du couple.

— J'étais nourrie, logée, pas achalée. J'étais bien, résuma la femme.

Les contractions commencèrent lors d'une visite chez ses parents. Son père la laissa sur les marches de l'hôpital de la Miséricorde, à Montréal, où les filles-mères du Québec entier donnaient naissance à leurs enfants illégitimes. Elle accoucha, seule, d'un garçon.

— J'aurais donc voulu une fille, dit Suzanne Bellevue. J'avais déjà un nom, elle s'appelait Nancy.

Lorsque son père revint la chercher, il était évident dans son esprit que l'enfant serait laissé aux bonnes sœurs. C'est ce qui arrivait dans tous les cas, à la Miséricorde. Pas pour Suzanne. Au cours de ses derniers mois de grossesse, elle avait pris une grande décision : elle garderait son bébé.

— C'était mon gars. C'était à moi. Je n'étais plus toute seule, tu comprends ?

À l'hôpital, le bébé dans les bras, une violente dispute éclata entre le père et la fille.

— Mon père m'a dit : « Ça rentre pas dans la maison, cette chose-là. » Je lui ai dit : « Si lui rentre pas, je rentre pas non plus. »

Cette chose-là. Marie souligna l'expression.

— Et que s'est-il passé ensuite ? Vous êtes restée chez vos parents avec le bébé ?

— Ça a pas été long que mon père s'est ressayé avec moi. C'est là que j'ai décidé de partir.

Suzanne était partie, en compagnie d'un garçon rencontré lors de son passage dans la famille d'accueil. Sans son bébé, qu'elle avait laissé derrière.

— On est partis. On a fait du pouce. On s'est ramassés chez un de ses amis. Un peu ici, un peu là.

— Et qu'est-ce qui s'est passé avec votre fils ?

— À mon retour, il avait été placé en famille d'accueil. Mon père n'en voulait pas. Je l'ai repris quand je suis revenue. Mais ça marchait pas fort. C'était un paquet de trouble, Stéphane. Quand il était petit, il dormait pas. Fallait que je l'enferme dans sa chambre. Il s'endormait par terre au pied de la porte. J'étais écœurée, épuisée, j'avais même pas dix-huit ans ! J'étais plus capable. Il a été placé encore. Après quelques années, je l'ai repris. Je voulais tellement le reprendre ! Mais c'était encore le même paquet de trouble. À l'école, il apprenait pas. Dès qu'il mettait le pied dehors, il y avait des problèmes. Il mettait le feu dans les poubelles, lançait des roches sur les autos… Les voisins arrêtaient pas de sonner à ma porte. C'était « ton gars, ton gars, ton gars ». Un jour, j'ai baissé les bras. J'étais plus capable.

Suzanne Bellevue but une gorgée de café, qui devait être froid. Elle alluma une cigarette.

Elle avait revu son fils sporadiquement au cours des années qui avaient suivi. Quatre, cinq fois par année, elle était allée le voir en centre ou à l'orphelinat d'Huberdeau. Elle avait refait sa vie avec un autre homme et accouché d'une petite fille. La fillette des photos, se dit Marie.

— Stéphane est venu à mon mariage, raconta-t-elle. Il était sorti des centres, il vivait en appartement. Ça allait pas fort, fort, disons. Mais je voulais pas le reprendre chez nous.

— Pourquoi ? demanda Marie.

La femme la regarda longuement en tirant sur sa cigarette.

— Plus jeune, une fois, il était venu ici. Ma fille devait avoir cinq, six ans. Elle avait une petite amie qui était venue jouer. Ils étaient tous dans le salon. Je suis entrée. Stéphane… il avait l'air de se frotter sur elle, la petite amie. Quand j'ai vu ça, j'ai capoté. Il est plus jamais rentré dans la maison ici.

Et puis, un jour, Suzanne Bellevue avait vu son fils à la télé. Il participait à une battue pour retrouver le petit Labrie. Les accusations étaient tombées.

— Au début, tu te dis : « Ça se peut pas. » Et plus tu écoutes, plus tu te dis que c'est vrai.

75

Marie ferma son carnet. Elle remercia la femme. Elle ne la regardait plus dans les yeux.

— Allez-vous parler à Jeannine? demanda soudain Suzanne Bellevue.

— Mme Côté? Oui, j'avais prévu la contacter.

— Il faut. Je lui ai donné les papiers, les photos, toutes les affaires. Moi, j'ai pas réussi mon coup avec Stéphane. Mais elle, elle a été comme une mère pour lui.

5

Deuxième mois

Dieu sait pourquoi, ce client-là exigeait toujours la salle de lavage. Il voulait toujours un complet, par-derrière. Et surtout, il n'était pas question d'utiliser un condom.

Quand elle le voyait entrer au Matador, la bouche de Jade s'asséchait. Petit, peau mate, sombre de poil, gros bras, c'étaient surtout ses yeux qui faisaient peur. Des yeux noirs, méchants. Il demandait toujours la salle de lavage et la prenait par-derrière, brutalement.

Et aussi, il frappait.

Une fois, il lui avait donné des coups de ceinture. Elle avait crié. Le Prof était débarqué. Il avait demandé au client de modérer ses ardeurs.

Il n'avait plus utilisé que ses mains. Il la frappait à grandes claques. Sur les fesses, sur le dos. Il lui pétrissait les seins, lui pinçait les mamelons, la clouait à grands coups de boutoir sur la sécheuse. Elle sortait de là épuisée, endolorie, écœurée.

Et il n'en finissait pas. Il lui fallait un temps fou pour éjaculer. Jade serrait les dents. Elle ne pensait qu'à une chose dans ces moments-là : la roche qu'elle allait pouvoir fumer dans quelques instants. Pense à la roche. Pense à la roche, se répétait-elle. Souvent, en se concentrant sur cette roche imaginaire, en visualisant clairement sa couleur jaunâtre, sa texture granuleuse, et en anticipant l'immense plaisir qu'elle allait lui procurer, Jade en arrivait à oublier le client, son odeur, son poids, ses mains fourrées partout, sa queue insistante. Mais pas lui. Le client de la salle de lavage ne se laissait pas oublier.

— Dis-le maintenant, lui ordonna-t-il.

— Je suis une grosse salope, dit Jade.

— Dis-le plus fort.

— Je suis une grosse salope, hurla Jade.

C'était la fin. Le client-qui-voulait-violer-une-salope remonta son pantalon et lui jeta l'argent à la tête.

Jade resta prostrée sur la sécheuse.

Et soudain, la nausée la reprit. Ça faisait un mois qu'elle avait mal au cœur tous les jours.

Avec la nausée vint la terreur. Enceinte. Non, elle ne pouvait pas être enceinte. Pas ici. Pas dans cette vie-ci. Aucun enfant ne devait naître dans cette vie-ci.

Elle alla s'écrouler sur un lit, dans une chambre voisine. Une roche. Il lui fallait une roche, et vite.

La porte s'ouvrit. Une fille entra. Elle ne l'avait jamais vue. Une nouvelle ? Non. Elle était bien trop clean.

Elle la regarda, perdue. La fille avait de grands yeux bleus, un corps de danseuse. Chose incroyable, elle lui tendit la main.

— Salut. Je m'appelle Andréanne. Je travaille pour

L'Anonyme. Je sais pas si tu as déjà entendu parler de nous. On distribue des condoms, des pipes à crack, des seringues. Ton… Le patron, ici, nous a permis de venir un soir par semaine. Si tu as besoin de quelque chose, je serai là. Tous les vendredis.

Jade regarda sa main. Elle ne la prit pas.

— J'ai besoin de rien d'autre que de poffer.

La fille la regarda longuement, puis sortit.

Vanessa fit son entrée, un instant plus tard.

Une bière dans une main et dans l'autre, miracle, une roche jaunâtre.

— Tiens, bébé. Tu fais pitié. Cet ostie de fou-là, dans la salle de lavage, tu devrais plus le prendre.

Jade lui arracha le caillou des mains et tira sa pipe de sa poche arrière. Elle tremblait en insérant la drogue dans l'embout.

Vanessa la contempla, juchée sur ses talons de dix centimètres. Elle s'assit sur le bord du lit.

La jeune souriait, maintenant. Elle était temporairement soulagée.

— Tu sais, quand j'ai commencé, ça existait pas, cette cochonnerie-là, dit Vanessa. Moi, j'en ai jamais pris. De la *booze*, du pot, de la coke, O.K., mais pas ces affaires-là. Pas de roches, pas de seringues. Ça va te détruire, ça, bébé. C'est en train de te détruire. Regarde-toi. T'es maigre, tu manges pas, tu vis dans un trou. Tu penses rien qu'à ça. Pis as-tu réfléchi à ton affaire pour…

Vanessa plaça sa main sur son ventre.

— Faut que tu saches. Au plus crisse. Pis après, faut que tu t'en débarrasses. La fille qui était là, elle peut t'aider. Elle va t'en donner, un test de grossesse. Pis elle va te dire où aller après.

Jade regardait la main de Vanessa.

Elle prit la main de la grande blonde et posa sa tête sur ses genoux. Elle se recroquevilla en position fœtale et pleura.

Vanessa lui caressa les cheveux. Il n'y avait rien d'autre à faire.

6

Les Enfants de minuit, Salman Rushdie

Mme Mathieu hésitait entre une série de Diana Gabaldon et une brique de Ken Follett quand la femme aux yeux ambre entra. Mme Dumais, se rappela Louis. Il la salua et retourna à Mme Mathieu. Sur son conseil, elle opta pour les livres de Gabaldon. Elle était plus romantique qu'historique, estimait Louis.

En la faisant payer, il entendit la machine à écrire crépiter brièvement. Mme Dumais s'était mise au clavier. Louis était curieux de voir ce qu'elle avait écrit. Et surtout, avait-elle aimé son livre?

Elle revint rapidement se planter devant lui.

— Alors? demanda-t-il.

— Ça m'a fait un bien fou, ce livre. J'ai beaucoup ri. Vous êtes le digne successeur de M. Neveu. Je vous nomme responsable de mes lectures à partir de maintenant.

— C'est une lourde responsabilité, répondit Louis en souriant.

— Ça fait longtemps que vous êtes libraire?

— J'ai travaillé dans une librairie pendant toutes mes études. Mais ensuite, je suis allé chez un éditeur. J'ai travaillé là pendant cinq ans. C'était à Québec. Et vous, vous faites quoi dans la vie?

— Je suis journaliste, dit-elle. Je travaille à *La Nouvelle.*

Journaliste? Il ressentit l'effet d'une douche froide. Il n'aimait pas beaucoup les médias. Ce qu'il avait vu d'eux durant sa courte carrière dans l'édition ne l'avait pas beaucoup impressionné.

— On dirait que ça ne vous plaît pas. Je parie que vous n'aimez pas les médias, dit-elle.

Elle avait fait mouche, cette fille. Elle avait lu sur son visage comme dans un livre ouvert. Il décida d'être franc.

— J'ai été un peu dégoûté des médias par mon passage dans l'édition.

Elle éclata d'un rire franc.

— C'est un drôle de monde, vous avez raison.

— Et sur quoi écrivez-vous?

— Je fais des enquêtes à caractère social, dit-elle, sans plus de précisions.

En tout cas, elle n'était pas vantarde, se dit Louis.

— Je vous lirai. Votre prénom, c'est…?

— Marie. Et vous, c'est Louis. Je peux vous appeler Louis?

Il hocha la tête.

Quelque chose s'installait, constata-t-il. C'était dans son ton, dans la façon dont elle avait prononcé son nom. Le silence dura un peu trop longtemps.

Louis Hétu sentait un intérêt de la part de sa cliente, un intérêt qui dépassait ses indéniables compétences littéraires. Et il devait bien s'avouer qu'il ressentait la même chose.

— Et aujourd'hui, vous voulez un livre, j'imagine? dit-il avec un sourire, en la regardant droit dans les yeux.

— Si possible, lui répondit-elle en lui rendant son regard.

Le libraire reprit un peu le dessus.

— Quel genre de livre?

— Un livre qui m'amènerait ailleurs.

— Ailleurs dans le monde? Fantastique? Science-fiction?

— Science-fiction, couci-couça. Fantastique, ça peut aller.

— Êtes-vous déjà allée en Inde?

— Jamais, répondit-elle.

— Salman Rushdie, ça vous dit quoi?

— J'ai essayé de lire *Les Versets sataniques*. Pas pu finir.

Il monta sur la mezzanine.

— Essayez ça.

Il lui tendit une édition de poche usée des *Enfants de minuit*.

— Le papier est mauvais et la typo est à chier. Mais c'est une histoire fascinante.

Elle paya le livre et partit.

Louis était déçu. Elle ne s'était pas avancée d'un poil.

Puis, il se souvint du crépitement de la machine.

Il alla dans la chambre numéro 2. Sur le babillard, par-dessus les autres mots des clients, il y avait une feuille presque totalement blanche. N'y figurait qu'une seule phrase.

« Y a-t-il une histoire à écrire ici ? »

Louis sourit. Cette fille aimait prendre son temps.

7

L'enfant

Marie regarda les clichés étalés devant elle.

Sur le premier, Stéphane Bellevue avait quatre ans. Sa tignasse noire était coupée de frais. Juché sur un cheval à bascule, il souriait de toutes ses dents.

Sur une autre photo, Suzanne Bellevue, encore adolescente, tenait son fils devant un sapin. Marie tourna la photo. *Stéphane, 1965*. Il avait cinq ans. Où était ce sapin ? se demanda-t-elle.

Sur le dernier cliché, Stéphane Bellevue n'avait qu'un duvet de cheveux. Il était dans les bras d'un homme d'une cinquantaine d'années, entouré d'autres enfants habillés à la mode des années cinquante. Leurs vêtements étaient vieux, élimés. En arrière, Marie reconnut Suzanne, toute jeune.

Celui qui tenait le bébé devait être le grand-père, se dit Marie. Le père, en fait.

— C'est là que ça a commencé, dit Jeannine Côté, assise en face d'elle. Vous avez rencontré Suzanne. J'imagine qu'elle vous a raconté.

Marie hocha la tête et se retint de bâiller. Elle avait dû se lever tôt pour venir ici. Jeannine Côté lui avait donné rendez-vous en matinée, à deux heures de route de Montréal.

Malgré le GPS, elle s'était perdue deux fois. Le signal ne rentrait plus dans ce coin isolé. Elle avait fini par trouver l'ermitage où vivait Mme Côté. Mais Dieu qu'elle détestait se perdre.

En descendant de la voiture, elle avait respiré un grand coup. Ça sentait l'automne. Un mélange de feuilles sèches, de bois brûlé, sur fond d'air froid.

La femme de soixante-dix ans habitait seule dans cette petite cabane de bois rond. Il y avait d'autres maisonnettes du genre disséminées dans la forêt. Au centre, une bâtisse communautaire, qui s'élevait à côté d'une grande statue de la Vierge Marie. L'ensemble avait un aspect de camp de vacances religieux.

En fait, il s'agissait d'un ermitage chrétien, lui avait indiqué Jeannine Côté en lui faisant visiter l'endroit. Les maisonnettes étaient occupées par des gens qui venaient y faire une retraite, silence et prière. Ils pouvaient, s'ils le désiraient, se joindre aux autres pour les repas.

Ce lieu imprégné de religion avait d'emblée soulevé une certaine méfiance dans son esprit. Jeannine Côté était-elle une *Jesus freak,* qui s'était donné comme mission divine de protéger un criminel ?

La conversation avec la femme avait rapidement chassé ses craintes. Jeannine Côté était une personne très religieuse, mais pas une folle de Dieu. Elle avait travaillé dans des écoles toute sa vie, son mari était décédé, elle avait deux enfants, qui vivaient en banlieue de Montréal, et avait choisi de se retirer temporairement ici.

— J'ai l'impression d'être plus proche de moi-même, ici, dans le silence. Et aussi plus proche de Lui, dit-elle en pointant le doigt vers le haut.

Les deux femmes se turent, se dirigeant en silence vers la maisonnette de bois rond. Il n'y avait aucun bruit, à part celui des feuilles sous leurs pieds. Ça devait être diablement tranquille ici la nuit, se dit Marie.

Elle ne s'était jamais prêtée à de telles retraites. Le silence total la mettait mal à l'aise, après un moment. Elle savait bien pourquoi.

Elle regarda Jeannine Côté, toute petite femme aux cheveux gris et au pas énergique. Comment cette personne, qui n'avait aucun lien de parenté avec Bellevue, qui n'était ni psychologue, ni travailleuse sociale, ni éducatrice, avait-elle fini par être décrite dans les médias comme son « ange gardien » ? Pourquoi avait-elle pris le criminel sous son aile ?

— Quand je l'ai vu à la télé, après le crime, je l'ai tout de suite reconnu, lui raconta Jeannine Côté. Évidemment, il était bien plus grand. Quand je l'ai rencontré, il avait plutôt l'air de ça.

Elle poussa une photo sur la table devant la journaliste. On voyait le jeune Bellevue, sa chevelure sombre en bataille, vêtu d'une chemise bariolée. Il devait avoir huit ou neuf ans. Il souriait à l'objectif.

— J'ai enseigné à l'orphelinat d'Huberdeau pendant un certain nombre d'années. C'est là que je l'ai connu. Il était dans ma classe en troisième. C'était un bon petit gars. Beaucoup de misère à l'école. Je l'ai aidé.

— Et dix ans plus tard, vous le voyez à la télé, compléta Marie.

— Vous étiez trop jeune à l'époque. Vous n'avez pas vu tout ça. Quand on l'a transféré en détention, une foule en colère est allée lui lancer des roches. Les gens lui criaient des noms, ils l'insultaient. Cette image-là m'a révoltée. Ce gars-là, il était tout seul dans la vie. Mais quand tu dis « tout seul », c'est vraiment tout seul. Il avait passé toute son enfance, toute son adolescence en centre. Pas d'amis, à peu près plus de mère, évidemment pas de père. J'ai décidé que moi, je l'aiderais. Et c'est ça que j'ai fait.

Jeannine Côté avait été le seul visiteur de Bellevue tout au long de son parcours pénitentiaire complexe. La femme avait obtenu des changements d'établissement à de multiples reprises, car Bellevue n'était pas un détenu commode. Comme l'avait expliqué le criminologue, Philippe Champlain, il pouvait crier pendant des heures lorsqu'il n'était pas content. Il racontait des bobards sur ses codétenus, les faisant punir pour des faussetés. Il donnait des coups d'épaule, des tapes dans le dos. Et avec la carrure qu'il avait, ça faisait mal chaque fois. Bref, il avait le don de provoquer l'hostilité. À chaque endroit où il était passé, sa sécurité avait rapidement été menacée.

— Stéphane, c'est un enfant, dit Jeannine Côté. C'est un enfant dans un corps de géant. Il est déficient intellectuel, vous savez.

Déficient intellectuel ? C'était la première personne

qui disait cela, nota Marie. Philippe Champlain avait parlé d'une intelligence lente. Ce serait à vérifier. Ça pouvait changer beaucoup de choses.

À force d'insister, elle était parvenue à le persuader de participer à des thérapies, raconta la femme.

— Il n'a jamais vraiment eu de services adéquats, ce garçon-là. Il a parti sa vie d'une façon épouvantable, comme tu as vu. Ensuite, il a été ballotté d'une place à l'autre pendant des années. C'est un vrai scandale, son enfance. Il m'a déjà dit qu'il avait été victime d'abus, sans me dire où, cependant. Pas surprenant que ça ait mal fini.

Jeannine Côté s'emportait. Elle parlait vite et gesticulait.

Marie la regarda. Un lien filial s'était créé entre cette femme et Bellevue. Jeannine Côté considérait Bellevue avec toute l'indulgence d'une mère. Et les mères pardonnaient trop de choses, pensa la journaliste.

Mais Jeannine Côté soulevait un point important. Il fallait qu'elle retrace le parcours de Stéphane Bellevue dans les services sociaux, ou du moins dans ce qui en tenait lieu à l'époque. Il était né en 1960, bien avant l'adoption de la Loi sur la protection de la jeunesse. Le clergé tenait alors la plupart des centres. Les services sociaux étaient balbutiants. La tâche ne serait pas facile, se dit Marie.

Stéphane Bellevue avait donc fini par voir un psychologue en prison. Il avait aussi subi une évaluation psychiatrique. Jeannine Côté sortit un document d'un tiroir. Le rapport était long, quelques phrases étaient surlignées en jaune. « Aucun signe de psychose ou de maladie affective. Son jugement est limité par son impulsivité et son hyperréactivité. »

— Il n'est pas malade, donc, dit Jeannine Côté. C'est en gros ce que dit le rapport. Mais il va plus loin. C'est là que ça devient intéressant.

Elle lut.

— « M. Bellevue a été institutionnalisé très jeune et, dans le contexte de cette institutionnalisation, a vécu de nombreux déplacements. Il n'a jamais pu établir de liens interpersonnels significatifs et stables dans le temps. En soi, il s'agit déjà d'une situation suffisante pour expliquer une carence affective majeure. » C'est ça, son problème. Stéphane, c'est un carencé affectif. On lui donnerait tout l'amour du monde qu'il n'en aurait pas assez. Le résultat, c'est qu'il cherche à tout prix à attirer l'attention, de n'importe quelle façon. Et il se met profondément dans le trouble avec ça, tout le temps. C'est ce qui lui arrivait en prison. C'est ce qu'il a travaillé avec le psychologue du pénitencier.

— Et vous avez l'impression que ça a marché ? demanda Marie, sceptique.

— J'en suis sûre. C'est en bonne partie pour ça qu'ils ont accepté de le transférer dans une maison de transition. Mais avec ce qui est sorti dans les nouvelles, je sais pas trop ce qui va arriver…

La vieille dame fit une pause.

— Ça m'enrage, tu sais, ça m'enrage. On a un gars qui a été une victime toute son enfance. Il a fait des grosses erreurs par la suite, c'est vrai. Mais il a fait des efforts en prison. Et là, toutes ces histoires dans le journal, ça va peut-être l'empêcher de sortir. C'est injuste.

— Quand même, c'étaient plus que des erreurs, réagit vivement Marie. Il a violé un enfant et l'a tué à coups de couteau.

Elle avait volontairement formulé sa phrase de façon brutale pour en voir l'effet.

Jeannine Côté se tassa sur sa chaise. Elle avait l'air accablée. Marie regretta d'avoir été aussi dure. Elle ne méritait pas ça.

La petite femme leva les yeux. Son regard était bleu acier.

— Comprends-moi bien, en aucun cas je ne veux l'excuser. Ce qu'il a fait, c'est terrible. Mais lui-même a été abusé. Sa mère a été abusée. À un moment donné, les êtres humains se rejoignent dans leur souffrance. Stéphane, il était mort bien avant de tuer Sébastien Labrie. Il a assez payé. Laissez-le donc tranquille.

À la première visite de la femme en prison, Bellevue lui avait d'emblée avoué son crime. Il avait repéré le jeune depuis plusieurs jours. Il l'avait emmené dans la roulotte parce qu'il voulait une fellation. Le jeune avait refusé.

— Le petit Labrie lui a dit qu'il allait le dénoncer. Stéphane a pris peur. Il l'a tué.

Jeannine Côté évacuait des pans de l'histoire, se dit Marie. Le viol. Les quatorze coups de couteau. Le crime de Bellevue était peut-être en partie motivé par la crainte d'être dénoncé, mais il y avait certainement autre chose. Autre chose qui puisse expliquer cette sauvagerie.

— Avez-vous une idée précise de son parcours en centre et en famille d'accueil ? demanda la journaliste.

En fouillant dans les papiers devant elle, Jeannine Côté se lança dans une longue énumération de lieux et de personnes. C'était embrouillé. Il en ressortait que Stéphane avait vécu dans de nombreux milieux, mais avait souvent été repris par sa mère pour de courtes périodes, quelques mois tout au plus. Marie tentait tant bien que mal de mettre de l'ordre dans tout ça.

À la fin de son explication, Marie regarda son carnet de notes.

1. 0 à 1 an et demi – Mère et grands-parents
2. 1 an et demi à 3 ans – Famille d'accueil – on ignore le nom
3. 3 à 5 ans – Repris par sa mère
4. 5 ans – Mère tente de le replacer dans la famille numéro 1 – mais la famille avait recueilli un autre enfant
5. 6 à 10 ans – Orphelinat d'Huberdeau – ponctué de courts séjours chez la mère
6. 12 à 14 ans – Centre Cardinal-Marquette

— Il a rencontré quelqu'un de bien important pour lui, là-bas, au centre Cardinal-Marquette, précisa Jeannine Côté. Un gars qui s'appelle Marcel Dion. Lui, il va pouvoir te renseigner mieux que moi sur les détails du parcours de Stéphane. C'est un bon gars. Un des rares que Stéphane a rencontrés.

8

Troisième mois

La musique tonitruante du défilé faisait vibrer la Sainte-Catherine.

Il était trois heures, mais le restaurant Valentine était encore bondé. Café, chocolat chaud, patates frites fumantes : la foule cherchait par tous les moyens à fuir le vent froid.

En tournant les boulettes de viande hachée, le patron regardait la table du fond d'un œil noir. La fille était encore là. Elle avait pris l'article le moins cher sur le menu – un café – et monopolisait la place depuis au moins une heure. Une autre crisse de droguée perdue au centre-ville, se dit-il avec impatience. Merde, la prochaine fois qu'il ouvrirait une succursale, il irait en banlieue.

Il légua sa spatule à Steve, un boutonneux de dix-sept ans engagé au début de l'été dernier. Puis, il se dirigea d'un pas vif vers la table du fond.

La fille le vit arriver à la dernière seconde. Elle ramassa prestement un objet posé devant elle et se leva sans mot dire. Elle n'échangea même pas un regard avec le patron. Elle savait qu'elle n'était plus la bienvenue.

Elle sortit dans le froid en serrant autour d'elle son manteau mince. En un instant, elle fut prise dans la cohue de la parade.

Un groupe de jeunes gars éméchés manifestaient leur enthousiasme devant le spectacle en brandissant des bouteilles cachées dans des sacs en papier.

Ils la regardèrent progresser à travers la foule d'un air intéressé, lorgnant ses bottes de cuir extrahautes et sa jupe extracourte. Elle ne leur jeta pas un regard.

Depuis une heure, Jade ne voyait plus rien. Depuis que, dans les toilettes du Valentine, elle avait vu apparaître deux fines lignes bleues dans la fenêtre d'un bâtonnet blanc. Elle serrait le test de grossesse dans sa poche. Positif.

Elle avait fini par se décider à aller voir la fille qui passait ses vendredis soir au Matador. Au début, elle l'avait fuie comme la peste. Puis, après un soir de nausées particulièrement prenantes, elle avait osé s'aventurer dans la chambre que lui avait allouée le Prof.

Andréanne n'y faisait rien de particulier. Elle était là, avec son matériel. Des pipes à crack et des seringues propres, enveloppées dans des sacs en plastique stérile. Des boîtes et des boîtes de condoms. Il y en avait pour tous les goûts : parfumés, lubrifiés, texturés, ultrarésistants.

Toutes les autres filles étaient venues la voir. Pensez donc, du matériel gratuit. Le seul qui n'était pas content, c'était Phil. Le vendredi n'était plus une soirée payante pour lui : finis les extras.

Andréanne ne disait pas grand-chose, posait peu de questions. Mais il y avait une chaise, un lit, les filles finissaient généralement par s'échouer là un instant et elles parlaient. De tout et de rien.

Andréanne écoutait.

Et elle riait souvent. Comme cette fois où Vanessa, complètement soûle, lui avait demandé de l'aide pour enlever son jean, probablement deux tailles trop petit.

— Il faut que je pisse, bébé. Aide-moi.

Andréanne s'était mise derrière elle et elle avait tiré de toutes ses forces sur le jean. Pendant de longues secondes, il ne s'était rien passé. Impossible de décoller le tissu ultraserré des fesses de Vanessa. Les hanches formaient une cordillère infranchissable. C'est là qu'elles avaient été prises d'un fou rire.

Puis, le jean avait fini par descendre. Vanessa avait pissé, à califourchon dans le petit lavabo à côté du lit.

— Merci, bébé. Ça fait du bien.

Un vendredi, donc, Jade était allée voir Andréanne. Elle venait à peine d'arriver. Elle sortait ses boîtes d'un grand sac à dos.

— Salut, dit Jade.

Elle resta plantée là. Elle ne savait pas quoi faire, ni quoi dire.

— Assis-toi pendant que je finis ça, si tu veux, dit Andréanne.

Elle continua à sortir ses boîtes sans se presser.

Une fois la tâche terminée, elle prit place au pied du lit.

— Qu'est-ce que tu voudrais?

Jade demanda une pipe à crack. Elle n'en avait pas besoin, mais bon, il fallait bien dire quelque chose.

— C'est quoi, ton nom? demanda Andréanne.

— Jade.

— Tu fumes depuis longtemps?

— Oui, dit Jade.

Elles restèrent là, toutes les deux, en silence. Jade jouait avec sa pipe.

— Est-ce que je peux faire quelque chose pour toi, Jade? As-tu besoin d'autre chose?

Jade la regarda. La fille était belle, mince, élancée. Elle avait de longs cheveux aile de corbeau. Un manteau de cuir, un jean propre, des bottillons aux pieds. Comment pouvait-elle demander ce qu'elle devait demander à une fille comme ça? Une fille qui avait une vie saine, une jolie maison, un chum, peut-être des enfants bien en santé qui allaient jouer dans le parc à côté.

Elle aussi, elle aurait pu être comme ça. Elle aussi, elle aurait dû être comme ça. C'est comme ça que son père aurait voulu qu'elle soit. Sans dope.

Papa. Elle revit la toute petite mallette noire, son intérieur de velours, vide, parce qu'elle avait volé et vendu son contenu pour de la dope.

Elle revit les yeux de son père, trahi, blessé à mort. Elle ne les oublierait jamais.

Phil fit irruption dans la pièce.

— Jade, y'a un client pour toi.

— J'arrive, fit-elle.

Elle se leva. Elle s'approcha d'Andréanne et chuchota.

— As-tu ça, des tests de grossesse?

Andréanne ne dit pas un mot, se pencha vers son sac à dos et en sortit une boîte. Sur la boîte, une femme brune vêtue d'une camisole d'un blanc immaculé avait les mains posées sur son ventre rebondi. Elle souriait de toutes ses dents, de la même teinte que la camisole. « Êtes-vous enceinte? Sachez-le rapidement! » pouvait-on lire. Jade prit la boîte.

— Merci, souffla-t-elle.

— Si jamais tu as besoin de jaser quand tu sauras le résultat, hésite pas, dit la fille.

9

L'Amélanchier, Jacques Ferron

La librairie était pleine quand elle est entrée. C'était un samedi, fin d'après-midi. Il l'avait vue tout de suite. Ils avaient échangé un regard.

Elle s'était mise à bouquiner. Elle passait de pièce en pièce, lentement. Elle s'est par la suite assise dans l'un des fauteuils rouges pour lire un bouquin. Louis essaya de voir le titre, sans succès.

Elle attendait, remarqua-t-il.

L'affluence se réduisait à mesure qu'approchait l'heure de la fermeture et que la lumière extérieure baissait : l'automne était bien installé. Ils se retrouvèrent finalement seuls. Louis n'avait pas allumé les lampes. Un clair-obscur régnait dans la librairie. Il alluma une petite lampe de bureau, près de la caisse enregistreuse. Elle projeta un cercle de lumière chaude sur le bois sombre du comptoir-caisse. Dehors, les feuilles tourbillonnaient dans le vent.

— Vous avez laissé une question sur le babillard, la dernière fois, lui dit-il en s'asseyant devant elle.

Elle ne dit rien. Il formula prudemment sa phrase.

— Si elle s'adressait à moi, la réponse est oui.

Elle le regarda. Son corps lançait des messages contradictoires, constata Louis. La tension sexuelle entre eux était palpable. Il ne voyait pas nettement son visage, à demi plongé dans la pénombre. Mais il percevait quelque chose comme une réserve dans ses yeux. Elle enfonça les mains dans les poches de son vêtement polaire.

Elle hésitait.

Il attendit.

— Vendez-moi un livre qui parle de vous, finit-elle par dire.

Il n'eut pas beaucoup d'hésitation.

Il alla dans la salle à manger, mur du fond. Le livre était tout en bas.

En le lui tendant, il frôla sa main.

— *L'Amélanchier*, nota-t-elle. Je l'ai déjà lu. Au cégep.

— Vous l'avez lu pour un cours, j'imagine. Vous devriez le relire.

Elle feuilleta le livre.

— Tinamer de Portanqueu et son papa Léon, esquire. Je me souviens. Pourquoi celui-là ?

— Je ne serai jamais écrivain. Mais si je l'avais été, c'est le livre que j'aurais aimé écrire.

10

Le bouc

Il lui avait fallu bien des recherches pour retrouver Marcel Dion. Le psychoéducateur était à la retraite depuis plusieurs années. Peu de gens se souvenaient de lui dans les milieux sociaux des Basses-Laurentides. Marie finit par utiliser la façon la plus simple : les listes du 411. Il y avait douze Dion, M. Le bon était le dernier. Ça arrivait tout le temps, se dit Marie en soupirant.

Il y eut un long silence au bout du fil quand elle se présenta.

— Je ne suis pas sûr de vouloir reparler de tout ça, madame Dumais. Laissez-moi y réfléchir.

Deux jours plus tard, l'homme la rappela. Il proposait une rencontre chez lui.

— J'ai fouillé dans mes vieux papiers. J'aurais des choses à vous montrer. Ça rebrasse beaucoup de souvenirs, vous savez. Pas nécessairement agréables.

Le lendemain, en fin de journée, Marie se rendit donc chez l'homme, sur le bord d'un lac des Laurentides. L'endroit était magnifique. À cette heure, la lumière dorée dans les arbres d'automne était magique. On aurait dit qu'un peintre avait déversé un trop-plein de jaune dans toute la forêt.

Marie vit un homme remonter du quai vers la maison. Elle alla à sa rencontre.

— Je vous fais faire le tour, dit l'homme.

Il l'emmena au lac. Marie avait rarement vu un endroit aussi bien préservé, au royaume des chalets collés des Laurentides. Ici, la forêt se déployait, vierge et touffue, coupée uniquement par les pierres lisses des falaises. Seuls quelques quais étaient visibles. Les maisons se fondaient dans les épinettes. Marie respira un grand coup. L'air était vif et frais.

— Depuis ma retraite, je vis ici. Dans la tranquillité. Ça m'a fait beaucoup de bien. J'ai été dans un tourbillon toute ma vie, dit l'homme.

Il ressemblait à son lac, se dit Marie en le regardant. Marcel Dion était calme et affable. Il avait les yeux d'un homme bon. Ils entrèrent à l'intérieur.

Marie lui parla rapidement de ses recherches. Elle insista sur l'enfance de Bellevue, dont le portrait avait été ébauché par Jeannine Côté. Marcel Dion sourit.

— J'ai mieux que ça pour vous. J'ai conservé quelques éléments de dossiers à mon départ des centres jeunesse. J'ai rédigé des articles pour des revues de psychologie, en changeant les noms, bien sûr. J'avais prévu écrire un livre, mais je ne l'ai jamais fait.

Il se leva et revint avec une affiche roulée serré. Il la déroula, la plaça sur la table.

Marie ne comprit pas tout de suite.

L'affiche était divisée également en plusieurs dizaines de carrés colorés. Sur l'axe vertical, on voyait les mois de l'année. L'axe horizontal représentait les années, entre 1960 et 1978.

Puis, elle saisit.

Les différents carrés de couleur indiquaient les déplacements vécus par le jeune Stéphane Bellevue, mois par mois. La légende était claire. En bleu, les séjours chez sa mère étaient dispersés par périodes sur une partie de l'affiche. En brun, le passage à Huberdeau. En vert, le centre Cardinal-Marquette. Ensuite, beaucoup d'autres couleurs. Marie nota le nom des centres.

— Au total, en comptant tous les changements, y compris les changements d'unité dans un même centre, j'ai calculé qu'il avait été déplacé quinze fois en dix-huit ans. Juste après son passage chez nous, il a changé de lieu dix fois. Observez le début : tout ça a commencé avec une famille d'accueil. Et puis, sa mère l'a repris. Et le cycle des déplacements s'est enclenché. Je me suis souvent demandé ce qui serait arrivé à cet enfant s'il était resté dans la famille d'accueil du départ.

Marie était médusée. Cette affiche disait tout sur l'enfance tordue de Stéphane Bellevue.

— Il y a quelques années, on a changé la Loi sur la protection de la jeunesse, afin d'éviter, justement, qu'on ballotte les enfants d'un endroit à l'autre. J'avais apporté cette affiche, sans dire de qui il s'agissait, bien sûr, pour montrer aux parlementaires l'exemple de ce qu'il ne fallait pas faire avec un enfant. Ils avaient été fortement impressionnés.

Marcel Dion se préparait à rouler son affiche. Marie l'arrêta.

— Je vais prendre une photo avec mon téléphone, si vous permettez.

Il fallait absolument qu'elle conserve ça en mémoire.

— Parlez-moi de votre première rencontre avec Stéphane Bellevue.

Marcel Dion sourit tristement.

— À son arrivée au centre Cardinal-Marquette, le jeune Bellevue avait onze ans. Il était arrivé d'Huberdeau avec un autre jeune, orphelin celui-là. Il y avait Stéphane, donc, et Éric. Du même âge.

Les deux enfants avaient passé plusieurs années dans l'orphelinat fondé par les frères de la Miséricorde. Ils avaient un lourd passif. Tous les deux avaient été placés très jeunes. La mère de Stéphane l'avait abandonné, celle d'Éric avait été assassinée sous ses yeux par un conjoint violent. C'étaient des enfants très difficiles.

— Ils étaient vraiment semblables. Je les voyais souvent comme des jumeaux, comme les deux faces d'une même médaille. Parce qu'ils étaient aussi très différents. La première différence, et la plus importante, c'était le physique. Éric était un très bel enfant. Pas Stéphane.

À onze ans, le jeune Bellevue était déjà baraqué. Il avait les traits grossiers de sa mère, la bouche épaisse de son grand-père.

— Il n'était pas joli, joli. Il était bâti comme une barrique. Tenez, j'ai retrouvé un dessin qu'il avait fait de lui-même, à l'époque. On demandait toujours ça aux petits gars en arrivant. Dessine-toi. C'était très révélateur.

Marie regarda le dessin, qu'on aurait dit tracé par un enfant de trois ans. De face, Stéphane Bellevue avait esquissé quelque chose comme un gros ventre, surmonté d'une tête. Deux jambes minuscules. Pas de bras. De profil, le dessin se résumait à une tête et à une paire de fesses. Un tube digestif, résuma Marie dans ses notes.

— Je sais, ça n'a pas l'air très noble de parler de beauté ou de laideur. Mais on ne peut pas nier que la beauté, pour un enfant, c'est un solide facteur de protection, expliqua Marcel Dion. Éric était beau. Il était très agressif avec les autres jeunes, mais il était quand même capable de nouer des liens avec les éducateurs. Stéphane n'était pas beau. Et par-dessus le marché, ses comportements faisaient en sorte que la plupart des gens le détestaient.

— Pourquoi? demanda Marie.

— C'était le plus beau cas de bouc que j'aie jamais vu.

— De bouc?

— C'est du jargon d'intervenant. Bouc émissaire, précisa le psychoéducateur. C'est un rôle qui échoit à certains jeunes dans un groupe.

Marcel Dion s'expliqua.

— Stéphane s'arrangeait toujours pour se faire tomber dessus par les autres. On jouait au ballon? Il se sauvait avec le ballon. On faisait du découpage? Il découpait la feuille des autres. On regardait la télé? Il faisait du bruit, il énervait tout le monde. Même s'il était baraqué solide, il fallait intervenir plusieurs fois par jour pour éviter que les autres le battent. Une fois, on avait arrêté les enfants à temps : ils l'avaient attaché à un arbre et ils le battaient. C'était un masochiste. Un cas patent de masochisme.

En adoptant le rôle du bouc, Stéphane Bellevue cherchait à obtenir de l'attention de la part des éducateurs, expliqua Marcel Dion. Ceux-ci étaient souvent concentrés sur son cas. Stéphane Bellevue était donc un sacré trouble-fête, de surcroît nul à l'école et nul dans les sports.

— On ne l'haïssait pas, il nous désespérait. Et désespérer de quelqu'un, c'est aussi le désespérer.

L'homme s'interrompit. Il regardait par la fenêtre le spectacle que lui donnait l'automne laurentien. Toute cette beauté lui avait probablement permis de digérer la détresse qu'il avait dû encaisser pendant ses années de carrière, se dit Marie.

Marcel Dion se retourna vers elle.

— Il était vraiment désespérant.

Toutes les thérapies qu'on avait offertes à Stéphane Bellevue n'avaient mené à rien. À l'époque, la mode était aux jeux de rôles, au dessin. On essayait de pousser le jeune à exprimer sa souffrance avec ces moyens détournés. Devant le peu de talent et d'enthousiasme de Stéphane pour ces diverses techniques, le psychologue du centre avait opté pour les cubes Lego.

— Après trois semaines de Lego, tout ce qu'il avait réussi à construire, c'était un robot, se souvint Marcel Dion avec un sourire. Le psy était découragé. Et le pire, c'est que le robot, c'était probablement lui. Incapable de faire face aux émotions.

Jeannine Côté avait tort, pensa Marie. Le jeune avait pu bénéficier de services. De beaucoup de services. La femme avait-elle tort sur toute la ligne ? La journaliste décida d'en avoir le cœur net.

— Était-il déficient intellectuel ?

— Non. S'il avait été déficient, on ne l'aurait pas eu au centre. Il n'était pas vite, ça, c'est sûr. Il pensait parfois comme un enfant de cinq ans. Mais pas déficient.

— À votre connaissance, Stéphane a-t-il été agressé sexuellement à Huberdeau ?

— Il y a beaucoup de choses que j'ignorais à l'époque. Oui, Stéphane avait été agressé. Éric aussi d'ailleurs. Mais je ne l'ai su que plusieurs années plus tard, quand Éric s'est ouvert. On ne savait pas non plus que Stéphane était un produit de l'inceste. Je l'ai appris en même temps que lui.

— Comment ?

— Après son passage chez nous, il est allé dans un autre centre, pour adolescents. C'est là qu'il a commis ses premiers délits. On l'a fait évaluer par un psychiatre. Au centre, un éducateur avait reçu des confidences de la mère sur l'inceste. L'éducateur a parlé de cela au psychiatre qui évaluait Stéphane. Le psychiatre a fait état de ces éléments dans son rapport. Stéphane a appris tout ça en cour. J'étais là. On m'avait demandé de venir témoigner.

Marcel Dion la regarda dans les yeux.

— Est-ce que vous réalisez le tort immense que ça a pu lui faire ?

Marie hocha la tête.

— Vous savez que sa mère a eu un autre enfant?
ajouta le psychoéducateur.

Marcel Dion lui raconta que Suzanne Bellevue avait eu une fille alors que Stéphane était à Cardinal-Marquette.

Celle qui était sur la photo avec Bellevue, se souvint la journaliste.

— Quand la petite a eu deux ans, Suzanne Bellevue et son ami ont décidé de se marier. Stéphane est allé à son mariage. Imaginez la souffrance de ce gars-là. Moi, elle m'a abandonné, mais ma sœur, elle la garde.

Marcel Dion soupira.

— Si un cas comme celui-là se représentait aujourd'hui, on le traiterait bien différemment. On privilégierait la stabilité. Jamais il ne ferait de ces allers-retours entre les milieux d'accueil et la famille biologique.

— Et Éric, qu'est-ce qui lui est arrivé? demanda Marie.

S'il était toujours dans le tableau, il fallait qu'elle rencontre ce Éric, se dit la journaliste. Il pourrait lui donner un témoignage de première main sur les années d'orphelinat.

Contrairement à Bellevue, Éric pouvait être considéré comme un succès de réadaptation, lui raconta le psychoéducateur. Après son passage à Cardinal-Marquette, il avait lui aussi été placé dans un centre pour adolescents, mais différent de celui de Bellevue. Il en était sorti avec un cours professionnel en poche. Il s'était mis à travailler dans le domaine de la construction. Il s'était marié, il avait deux enfants. Son premier enfant avait fait l'objet d'un signalement à la DPJ, il avait été suivi pendant quelque temps. La DPJ avait finalement fermé le dossier.

— Éric, c'est un exemple de résilience, conclut Marcel Dion. Vous savez ce que dit le grand psychiatre Boris Cyrulnik? Qu'avoir des enfants, c'est le plus grand signe de résilience. Quand on se sent assez solide pour avoir des enfants et qu'on s'en occupe bien, on a réussi à transcender son passé, quel qu'ait été ce passé.

— Pensez-vous que je pourrais lui parler, à Éric?

— Je suis sûr qu'il accepterait. Il a été très marqué par l'histoire de Stéphane. Mais avant que vous le rencontriez, vous devez voir quelque chose.

Marcel Dion fouilla dans sa pile de papiers. Il en sortit une photo, puis une vieille coupure de journal. Il les plaça côte à côte sur la table.

Sur la photo, Éric avait treize ans. C'était un beau petit blond. Les boucles lui tombaient sur les épaules : 1973, la mode était aux cheveux longs, sourit Marie. Il avait des yeux verts, un sourire d'enfer. Et il ressemblait à s'y méprendre à l'autre enfant, celui qu'on distinguait encore clairement sur le papier journal jauni. Sébastien Labrie. L'enfant assassiné par Stéphane Bellevue.

11

Quatrième mois

Le Prof était hors de lui.

Mais quelle insignifiante! Enceinte, tabarnak! Elle ne savait pas qu'il fallait prendre des précautions!

Il gifla Jade de toutes ses forces. Il l'envoya valdinguer sur le mur.

— Et maintenant, hurla-t-il, il va falloir s'occuper de madame! Madame va être souffrante pendant un petit bout de temps!

Ça faisait une bonne demi-heure que ça durait.

La semaine précédente, Phil avait surpris une conversation entre Vanessa et Jade. Vanessa essayait de convaincre Jade de retourner voir Andréanne.

— Il faut qu'elle t'arrange ça, soufflait-elle tout bas avec la fumée de sa cigarette.

Phil avait noté le tout avec intérêt. Un secret de ce genre-là, ça valait toujours son pesant d'or, s'était-il dit en souriant dans sa moustache.

Un soir, en fin de nuit, le Prof s'était rendu compte

qu'une bonne partie de l'argent de la caisse avait disparu. Il avait naturellement soupçonné Phil. Il l'avait fait venir dans son « bureau ». Le Prof n'était vraiment pas content. Phil s'était défendu du mieux qu'il avait pu, sachant que c'était effectivement lui qui avait pris l'argent. Une dépense imprévue. Il s'était dit que ça passerait inaperçu. Mais, c'était fâcheux, le Prof était un gars à son affaire.

Quand il se sentit vraiment coincé, il lâcha sa bombe.

— Va falloir faire attention à Jade, Prof. Paraît qu'elle est enceinte.

Le motard était resté saisi. Puis, ses yeux s'étaient couverts de nuages noirs. Il avait empoigné Phil par le collet.

— Comment tu sais ça, toi ?

Phil le lui raconta. Le Prof le jeta dehors.

— Jade ! hurla-t-il à pleins poumons.

Le Prof était dans une rage folle. Sa meilleure joueuse allait être hors circuit pendant quelque temps. Et il allait aussi perdre beaucoup de fric, puisque dans les faits, il était le bénéficiaire de la quasi-totalité du salaire de la fille. Elle lui payait un loyer pour la chambre au troisième et dépensait le reste en crack. Il y avait eu un investissement de départ pour les vêtements, mais il s'était remboursé depuis longtemps.

— Jade ! T'es où, ciboire ?

Jade sortit de l'une des chambres.

Elle aussi était passée au bureau.

Et maintenant elle pleurait, terrorisée.

Arrivé au bout de sa colère, le Prof se laissa tomber dans un fauteuil.

— Bon, vendredi, tu vas aller voir la fille de L'Anonyme. Tu vas lui demander de t'arranger ça au plus câlisse. Ils ont des plogues avec des médecins qui font ça, eux autres.

Jade était toujours écrasée dans un coin de la pièce.

— En tout cas, dit le Prof en regardant la fille, compte pas sur moi pour te fournir en roches si tu travailles pas. Va falloir que tu t'en passes, ma belle. Pis je t'avertis, ça va être dur. Fait que t'es aussi bien de te remettre à l'ouvrage au plus vite.

Jade fut saisie par cette perspective. Pas de roches. Ça devait bien prendre une journée ou deux pour se remettre d'un avortement, quand même. Pas de roches, même pour quelques heures, c'était une perspective insoutenable. Comment allait-elle faire pour survivre?

Le Prof la regardait, un mince sourire aux lèvres. Parfois les mots portaient bien plus que les coups, se dit-il.

La pensée du pouvoir total qu'il exerçait sur cette fille l'excita.

— Viens ici, lui ordonna-t-il.

Jade se leva, les yeux rouges, le visage défait. Son maquillage avait coulé.

Elle était moins jolie qu'avant, se dit le Prof en la regardant. Elle avait perdu cette fraîcheur du début, envolée dans les volutes du crack. Elle allait très bientôt rejoindre le club des laides, des grosses et des vieilles. Il devait penser à la remplacer.

— C'est moi qui t'a fait entrer ici. Tu m'en dois une, pis une solide. Oublie jamais ça. Je veux plus jamais de problèmes avec toi. Compris?

Sur ce, il se toucha l'entrejambe.

— Là, tu vas me donner une petite consolation. Tu m'as fait bien de la peine, tu sais? Mais va t'arranger un peu avant. Je veux pas me faire sucer par un ostie de raton laveur.

Le vendredi suivant, Jade se rendit de nouveau dans la chambre d'Andréanne. Elle se laissa tomber sur le lit.

— Positif, dit-elle.

Les coups du Prof lui avaient laissé un bleu sur le visage.

— Il t'a battue? demanda la fille.

Il y avait de la pitié dans ses grands yeux bleus.

Jade hocha la tête.

— Qu'est-ce que tu veux faire? Avorter?

Jade hocha de nouveau la tête.

— Je peux t'aider. Un médecin travaille pour notre clientèle au CLSC. Combien de mois?

— Sais pas trop, dit Jade. J'ai mal au cœur depuis pas mal longtemps.

Puis, elle posa la question qui la taraudait depuis des jours.

— Va falloir que je reste combien de jours, euh… arrêtée?

— Les relations sexuelles sont déconseillées pendant trois jours après l'opération, répondit Andréanne. Tu vas être plus faible pendant quatre, cinq jours.

Elle regarda les épaules de Jade s'affaisser.

— Tu as peur du sevrage. C'est ça?

Jade ne répondit pas tout de suite.

— Je serai jamais capable de tenir, finit-elle par dire.

— J'en ai vu des bien plus accros que toi qui ont arrêté, dit doucement Andréanne.

— Mais je veux pas arrêter, déclara Jade.

Elle regarda la fille dans les yeux. Si seulement elle avait pu tout lui raconter.

— Laisse-moi deviner, dit Andréanne. Tu as quoi, vingt-quatre, vingt-cinq ans? Tu as été recrutée quelque part au secondaire. Peut-être par un gang de rue. Tu as commencé la drogue à ce moment-là. Du pot, essentiellement. Un peu de coke. Tu as peut-être dansé dans les bars. Après, tu t'es retrouvée ici, je sais pas trop comment. Tu as commencé le crack. Et tu as l'impression que tu peux plus t'en passer. Mais c'est faux, je te le dis.

Jade était choquée. Comment avait-elle pu deviner tout ça?

— Je veux pas arrêter, répéta t elle, butée.

Andréanne garda le silence pendant un instant. Puis, à l'instinct, elle posa la question.

— Est-ce que c'est ta première grossesse?

Jade s'effondra.

Elle n'avait pas besoin de raconter. Andréanne le connaissait, le cas classique. Un enfant, la dope, la DPJ, le retrait de l'enfant du milieu familial, encore plus de drogue, ou des drogues plus dures, la débandade. Et l'horrible sentiment d'avoir tout perdu. Pas surprenant qu'elle ne veuille pas arrêter la drogue. À sa place, moi aussi, je voudrais rester noyée là-dedans, se dit l'intervenante.

— On va commencer par le début, dit Andréanne. Un rendez-vous chez notre médecin. Elle est super fine, tu vas voir. Après, on verra ce qu'on peut faire pour que tu supportes le manque de drogue le mieux possible après l'avortement.

Pas beaucoup d'espoir de ce côté-là, songea l'intervenante. Les héroïnomanes avaient la méthadone pour les aider à passer à travers le sevrage. Les *crack addicts* n'avaient rien. Ça prenait une sacrée volonté pour se défaire de la dépendance aux roches. Et cette fille n'avait absolument rien à quoi se raccrocher. Elle eut pitié d'elle.

— Si tu veux, je peux y aller avec toi.

Jade hocha la tête.

Le marché était conclu.

12

Le Grand Cahier, Agota Kristof

Louis était plongé dans sa comptabilité quand Marie entra. Il leva les yeux, agacé. Il avait essayé de tirer profit des heures calmes du matin pour mener à bien cette tâche détestable. Il n'était jamais capable de finir.

Puis, il la vit. Et la comptabilité s'enfuit de son esprit.

— Bonjour, Louis. J'arrête juste en passant, je suis un peu pressée. Je vous ai apporté un cadeau.

Elle lui tendit un livre. *Le Grand Cahier*, d'Agota Kristof.

— La dernière fois, vous m'avez vendu le livre que vous auriez aimé écrire. Je l'ai lu. J'ai aimé. J'ai l'impression de vous connaître un peu plus, maintenant. Je vous laisse celui-ci. Il représente à peu près la même chose pour moi.

Louis l'avait lu. Il avait aussi lu les deux livres qui constituaient la suite, beaucoup moins bons, à son avis. Mais celui-là était l'équivalent d'un coup de poing dans l'estomac. Une écriture dépouillée, une histoire à la limite du supportable.

Il avait à peine eu le temps de la remercier qu'elle partait. La clochette de l'entrée sonna. Merde, cette fille était insaisissable, se dit le libraire.

Un soir, par curiosité, il avait tapé son nom dans un moteur de recherche. Il en était sorti une flopée d'articles, tous publiés dans le même journal. En les lisant, chaque fois, il avait été happé par son récit. Toujours des sujets très durs. Mais elle ne beurrait pas épais dans le pathos, constata Louis. Son ton était sensible, mais sobre. Cette fille était très loin des journalistes superficiels et prétentieux qu'il avait déjà rencontrés.

Sur son tabouret, derrière le comptoir-caisse, il regarda le livre. Il se souvenait très bien du récit, raconté par deux jumeaux. Il avait beaucoup aimé, certes, mais aurait-il voulu écrire un tel livre? Pas sûr. Il le feuilleta, arriva à la dernière page.

Juste sous les derniers mots, il y avait un numéro de téléphone.

13

La victime

Marie se demanda comment réagirait la mère de Sébastien Labrie devant l'ami d'enfance du meurtrier de son fils. Si le petit Labrie n'avait pas eu la terrible malchance de croiser la route de Stéphane Bellevue, il ressemblerait probablement à ça aujourd'hui, se dit Marie en regardant le bel homme de cinquante-deux ans assis devant elle.

Éric Plante était grand, costaud, ses cheveux châtain clair mêlés de blanc étaient maintenant courts mais toujours bouclés. Il avait de beaux yeux verts, de grandes mains. Il l'avait invitée chez lui, dans un bungalow de la banlieue nord. Une jolie maison, qu'il avait lui-même rénovée, lui avait-il dit en l'accueillant.

Il était seul. Mais Marie vit les photos familiales sur les murs. Son ancien psychoéducateur avait raison : elle était devant un authentique succès de réadaptation. Si la journaliste n'avait pas été informée de son enfance troublée, jamais elle n'aurait pu la soupçonner dans cette maison.

Il l'avait invitée au salon, lui avait offert une boisson.

C'était la première fois qu'il rencontrait une journaliste. Il ne savait pas trop ce qu'il devait faire.

Marie décida de lui poser la question.

— Avez-vous déjà rencontré les parents du petit Labrie?

— Non, répondit l'homme après une certaine hésitation. Quand j'ai vu la photo du petit gars, à la télé, la ressemblance m'est rentrée dedans comme un camion. J'ai pensé à aller voir les parents. Mais finalement, j'ai laissé faire. J'avais l'impression que ça leur ferait plus de peine qu'autre chose.

— Et à l'époque, qu'est-ce que ça vous a fait de voir que la victime de Bellevue vous ressemblait autant?

L'homme hésita.

— Dès que j'ai vu Stéphane apparaître à la télé, j'ai été sûr que c'était lui qui l'avait tué. Il disait qu'il participait à la battue. Quand j'ai vu la photo de l'enfant, j'en ai été encore plus convaincu. Comment vous expliquer? Ça m'a vraiment fait quelque chose. Ça a fait remonter tout mon passé. Je me suis posé bien des questions. Stéphane et moi, on a eu le même parcours. Est-ce que moi aussi, j'étais condamné à finir comme ça, comme un délinquant, un criminel?

Stéphane Bellevue et Éric Plante s'étaient rencontrés la première fois en entrant à l'orphelinat d'Huberdeau, raconta l'homme. Ils avaient tous les deux six ans. Stéphane était placé là par sa mère; Éric, lui, était un vrai orphelin. Sa mère avait été tuée par son conjoint. Son père avait disparu dans le décor.

Les deux enfants étaient arrivés le même jour dans

l'immense bâtiment de pierre grise, planté au milieu des champs. Stéphane avait été reconduit par sa mère ; Éric, par sa tante. Les deux femmes et les deux enfants s'étaient retrouvés dans le parloir, à attendre que les frères viennent chercher les deux garçons. Stéphane pleurait et s'accrochait à sa mère. Éric ne disait rien. Il n'aimait pas beaucoup sa tante.

À l'époque, les orphelinats gérés par les communautés religieuses étaient en pleine mutation, avait compris Marie à la lumière de ses lectures. Elle avait compulsé plusieurs documents sur cette période avant d'aller rencontrer Éric Plante.

Le Québec était entré dans la Révolution tranquille, qui allait bouleverser le fonctionnement et la gérance de ces institutions, comme ceux des grands asiles psychiatriques.

En ville, les admissions dans les orphelinats avaient baissé considérablement. On privilégiait désormais les « foyers nourriciers », les ancêtres des familles d'accueil. Mais en région, cette conversion s'était faite beaucoup plus lentement. Stéphane et Éric avaient ainsi fait partie des dernières cohortes d'enfants admis dans les grands orphelinats. L'époque où ils y avaient vécu, entre 1966 et 1970, était une période hybride de l'histoire de ces institutions.

Les prêtres et les sœurs étaient plus surveillés, on avait spécialisé les établissements. On n'étiquetait plus les enfants comme débiles mentaux comme au temps des orphelins de Duplessis. En mettant en place des réseaux de foyers nourriciers, on avait progressivement tari la clientèle des orphelinats. La boucle s'était bouclée avec la mise en place de la Loi sur la protection de la jeunesse en 1979. L'État avait pris le contrôle de ces établissements.

En quelques années, le Québec avait finalement réussi à stopper une machine infernale, qui commençait à l'hôpital de la Miséricorde avec l'accouchement d'une fille-mère et qui se terminait par une vie à l'asile si l'enfant n'avait pas la chance d'être adopté rapidement. Stéphane et Éric, eux, avaient vu de près les rouages de la machine.

— Comment c'était, la vie à l'orphelinat ?

L'homme garda d'abord le silence. Il replongeait dans de vieux souvenirs.

— C'était parfois beau. Parfois très dur.

Les enfants étaient encore plusieurs centaines à vivre à Huberdeau. Les dortoirs avec les petits lits en fer, les grandes cafétérias… On était loin des petits groupes réunis dans les unités de soins, que le gouvernement mettrait en place dix ans plus tard.

— C'était un orphelinat agricole. Même petits, on travaillait aux champs. On faisait les foins, on ramassait des pommes. Il y avait un grand verger. Tout le monde mettait la main à la pâte. On était à la campagne, on était bien nourris. Des fois, les frères nous emmenaient à la rivière pour qu'on puisse se baigner. L'été, on allait dans un camp de vacances au lac à la Loutre. L'hiver, ils nous faisaient monter une patinoire. On faisait des parties de hockey. On allait à l'école, aussi. Il y avait des profs laïques qui étaient bien gentils. Comme Mme Côté, par exemple. Vous l'avez probablement rencontrée. Elle s'est beaucoup occupée de Stéphane, je pense.

Ça, c'était la belle partie, dit Éric.

La moins belle, c'était que la clientèle d'Huberdeau était en train de changer. Le gouvernement Lesage avait décidé que l'orphelinat des Hautes-Laurentides serait destiné à la garde des enfants étiquetés comme retardés. Les enfants qui vivaient à Huberdeau ont côtoyé de plus en plus de jeunes déficients intellectuels.

— Disons que ce n'était pas un milieu de vie idéal pour s'épanouir quand on n'était pas un débile, dit Éric. Stéphane n'était pas vite, vite, mais il n'était pas retardé. Et moi non plus.

Les deux enfants, arrivés le même jour à Huberdeau, s'étaient retrouvés côte à côte dans le dortoir et à la cafétéria. Ils s'étaient rapidement rapprochés. Mais ils étaient très différents. Éric était expansif, agressif, hâbleur. Stéphane était renfermé, gêné, complexé.

— On était amis, mais c'était moi le boss, résuma Éric Plante. C'est moi qui décidais à quoi on jouait, qui était notre ami. Stéphane, il suivait.

Éric faisait bien des mauvais coups. Il était souvent puni par les frères. Une fois, il persuada Stéphane de s'accuser à sa place, et c'est lui qui écopa de la punition. Le frère Blaise fut chargé d'administrer la punition.

— C'était un pas fin, ce frère-là. Tout le monde savait qu'il punissait fort, raconta Éric Plante. Stéphane est sorti de là tout chamboulé. Il n'a rien dit pendant des jours. Je n'arrêtais pas de lui poser des questions, qu'est-ce qu'il t'a fait, as-tu mal quelque part... Il ne me répondait pas. Ces jours-là, je me suis senti vraiment, vraiment cheap. C'est moi qui aurais dû être puni.

Après une semaine, Stéphane se confia à son ami. Le frère Blaise l'avait d'abord fait se déshabiller. Puis, il lui avait demandé de le toucher.

— Quand il m'a raconté ça, j'ai trouvé ça dégueulasse. Je l'ai plaint. Mais en même temps, je me disais : il est-tu niaiseux ! Pourquoi il s'est laissé faire ? Moi, je me disais que le frère Blaise aurait jamais pu me forcer à faire ça.

Il fit une pause, passa une main dans sa tignasse bouclée.

— Mais j'avais tort.

Éric et Stéphane écopèrent du même genre de punition, régulièrement, pendant plusieurs mois.

— On s'est rendu compte qu'on n'était pas les seuls. C'était un agresseur en série, ce frère-là. Évidemment, personne n'en parlait. Personne n'allait nous croire, de toute façon.

Éric réagit fortement à cette situation.

— Je frappais les autres enfants, je les poussais, je les mordais. J'étais un vrai petit diable. Stéphane, lui, il se coupait, il se griffait, il se cognait la tête contre les murs.

Marcel Dion aurait probablement dit que Stéphane Bellevue développait là ses premiers traits masochistes, se dit Marie en prenant des notes.

— Quand on a eu dix ans, les frères se sont tannés. On était devenus trop grands, trop forts, trop compliqués, Stéphane et moi. Ils nous ont envoyés à Cardinal-Marquette, à Saint-Jérôme.

— Et là-bas, c'était mieux ? demanda Marie.

— Pour moi, ça a été une délivrance, répondit l'homme sans hésiter. Là-bas, on allait à l'école, on était suivis par de bons éducateurs. Vous avez rencontré Marcel Dion. Cet homme-là, j'ai gardé le contact avec lui toute ma vie. Il m'a beaucoup aidé. Et évidemment, là-bas, il n'y avait plus d'affaires de touchage…

Éric trouva donc sa planche de salut à Cardinal-Marquette, résuma Marie dans ses notes. Mais pas Stéphane. La description que lui fit Éric Plante du Stéphane Bellevue de l'époque correspondait parfaitement à celle du psychoéducateur. « Un maso, un *snitch*, un gars qui faisait tout pour attirer le trouble. »

— Il était tellement pas du monde, je voulais plus être associé à lui, résuma Éric Plante. On s'est éloignés.

Éric se rapprocha d'un autre pensionnaire, nommé Michel, à moitié amérindien.

— Il y avait un petit bois en arrière du centre. Michel, il savait plein d'affaires sur les plantes, les arbres. Je trouvais ça trippant.

— Et Stéphane, comment a-t-il réagi ?

— Stéphane m'a trahi, répondit simplement Éric.

Un après-midi d'été, les garçons jouaient tous dans le petit boisé.

— Il nous a traités de fifs, Michel et moi. Et il a ajouté : « C'est sûr que t'es fif. Tu t'es pratiqué avec le frère Blaise. » Il a crié ça devant tout le monde. Fuck, c'était un secret. C'était notre secret. Être fif, tu sais ce que ça voulait dire, dans ce temps-là, dans une gang de ti-culs ?

Marie hocha la tête. Ça devait être à peu près l'équivalent d'une condamnation à mort sur le plan social.

— Ce jour-là, j'ai commencé par lui casser la gueule. Ensuite, on l'a tous attaché à un arbre, on l'a battu avec des bâtons. Les éducateurs nous ont arrêtés, parce que sinon, je pense qu'on l'aurait tué.

14

Cinquième mois

La D^re Isabelle Tremblay regardait les clichés d'échographie devant elle. Le fœtus était petit. Normal, compte tenu du mode de vie de la mère. Mais il était bien formé. Bras, mains, pieds, cœur, poumons, tout était correct.

Étant donné les retards de croissance qu'entraînait le crack, la mère devait en être à dix-sept ou dix-huit semaines de grossesse, évalua-t-elle. On approchait de la zone limite pour un avortement. Andréanne avait bien fait de l'emmener rapidement. L'intervenante avait accompagné la fille jusqu'ici. Elle l'avait conduite à l'hôpital pour l'échographie d'urgence. Elle attendait maintenant dans la salle adjacente.

La D^re Tremblay leva les yeux vers sa patiente. La fille était extrêmement maigre. Sa grossesse se voyait à peine. Son visage semblait mangé par ses yeux. Pupilles dilatées. Elle était assise sur le bout de sa chaise, regardait constamment autour d'elle.

Paranoïa, diagnostiqua la D^re Tremblay. Un effet secondaire fréquent de la consommation de crack.

— L'avortement pourrait avoir lieu la semaine prochaine, l'informa-t-elle. À l'hôpital où vous êtes allée. Je pourrais vous avoir une place en maison d'hébergement, le temps de vous remettre ensuite. Un endroit spécialisé, on s'occupera bien de vous. Ils vous aideront à passer à travers.

Elle parlait le plus doucement possible. Ce genre de patientes était généralement très réfractaire aux institutions. L'hôpital, la maison d'hébergement, tout ça risquait de lui faire peur. Il ne fallait pas qu'elle disparaisse dans la nature, pas avec un bébé dans le ventre.

Puis, la fille posa une question qui la surprit.

— Est-ce que je pourrais voir ?

Les patientes qui allaient avorter voulaient rarement voir les clichés d'échographie. Jamais, en fait. Plus le bébé devenait concret, plus l'idée de s'en débarrasser était difficile.

La médecin tendit les clichés à Jade.

Les photos d'échographie étaient toujours mauvaises. Mais on distinguait quand même bien, dans la nuée de points blancs, le petit corps du fœtus, replié sur lui-même.

Jade regarda son bébé.

Elle avait déjà vu ce type de clichés, à sa première grossesse. C'était Juju. Elle était contente, à l'époque. Évidemment, ça n'allait pas être facile, toute seule avec un bébé, mais précisément, elle n'allait plus être toute seule. Elle s'installerait, elle vivrait de l'aide sociale avec son bébé. Les choses iraient bien.

— Je… C'est un garçon ou une fille ?

— Je ne suis pas radiologiste, mais d'après moi, c'est une fille.

Jade continua à regarder la photo.

La D^{re} Tremblay savait ce que ça voulait dire. La patiente hésitait. Elle était tentée de garder le bébé.

Le cas se compliquait, se dit la médecin. Isabelle Tremblay était profondément allergique au discours moralisateur des pro-vie. Elle recommandait l'avortement à certaines patientes sans aucun état d'âme. Le mode de vie de cette mère représentait un danger important pour son enfant. Si elle continuait à consommer, le bébé naîtrait probablement prématuré, affecté de graves troubles de santé. Il lui serait sans doute enlevé à la naissance. Faire une croix sur l'avortement pouvait dire sacrifier la vie et la santé d'un enfant.

La médecin hésita. Sa tête lui disait de pousser la patiente vers l'avortement. Les chances qu'elle arrête la drogue étaient trop minces. Mais son instinct, cette toute petite voix intérieure, lui disait de parier sur cette fille. C'était un coup de dés.

Elle décida de prendre le taureau par les cornes. On n'avait plus le temps d'attendre.

– Jade, êtes-vous sûre que vous voulez avorter?

La fille la regarda. La D^{re} Tremblay vit le désespoir dans ses yeux.

— Mais qu'est-ce que je peux faire d'autre?

— Vous pouvez décider de changer de vie, dit simplement la médecin.

— C'est impossible, dit Jade.

— Faux. Vous avez vingt-quatre ans. Tout est possible à vingt-quatre ans.

Jade ne dit rien.

— Je peux vous trouver une place en centre de désintoxication, dit la médecin. La semaine prochaine, si vous voulez. C'est possible d'arrêter le crack. Vous pourriez continuer votre grossesse et avoir ce bébé. Je vous suivrai. Je vous aiderai.

Jade ne dit encore rien.

— À vous de voir, Jade. La semaine prochaine, vous pouvez avorter, ça se fera rapidement, on fera l'impossible pour que vous teniez le coup pendant quelques jours. Ou alors, vous pouvez accepter la place en centre. C'est vous qui décidez. Peu importe votre choix, je vous aiderai.

À son arrivée au Matador, Jade alla se coucher dans sa chambre. Il était encore trop tôt pour travailler. Le Prof ne tarda pas à venir cogner à sa porte.

— Pis? C'est quand?

— La semaine prochaine, dit Jade.

Évidemment, elle ne lui souffla pas mot de l'autre possibilité.

— Pendant combien de temps tu pourras pas travailler?

— Trois jours.

— Comme tu me laisses tomber, j'ai décidé de trouver de la relève.

Il recula vers la porte.

— Viens ici!

Une jeune Noire fit son entrée dans la chambre.

Elle était moulée dans une jupe de cuir et elle suait la peur.

Le Prof lui asséna une claque sur les fesses.

— Je l'ai recrutée hier. Elle commence à soir. Ça va être le même deal qu'avec toi. Une chambre, pis une part des profits. Avec un beau cul de même, toi pis moi, on va faire beaucoup d'argent, dit-il à la fille. Explique-lui comment ça marche ici, toi, intima-t-il à Jade.

Il claqua la porte en sifflotant.

Jade s'assit dans son lit. Elle regarda la fille. C'est vrai, elle avait encore de belles formes. Le crack ne l'avait pas mangée. À moins qu'elle n'en prenne pas. Pas encore…

— La chambre, c'est vingt piasses, dit-elle rapidement à la fille. Le client doit payer à Phil, à l'entrée. Toi, tu charges ce que tu veux pour tes passes. T'es jeune, t'es belle, tu peux demander un bon prix pour les complets. Une pipe, c'est moins cher. Il faut que tu donnes une part des profits au Prof. Il t'a dit combien, j'imagine. Et pour la dope, c'est lui qui vend. Tu vas le voir. Qu'est-ce que tu prends, toi?

— Je poffe.

Jade la regarda. Elle se revit à son arrivée au Matador. Elle avait l'air de ça, pas trop détruite. Ça faisait combien de temps qu'elle était ici? Un an, deux ans, mille ans? Combien de poffes de crack? Combien de gars lui étaient montés dessus? Combien de queues, de mains, de bouches?

— Le Prof t'a fait passer ton… entrevue? Hier? lui demanda-t-elle.

La fille hocha la tête.

— Ça n'a… pas fait trop mal?

La fille serra les dents.

— Pour le Prof, t'étais obligée, mais tu sais que tu peux dire non si un client veut te la mettre dans le cul, dit Jade.

Jade lui entoura les épaules de son bras. Elle mit sa main sur celle de la fille. La main de l'autre était ferme et douce. Jade regarda sa main à elle, décharnée, usée. Une main de vieille.

Et à ce moment, elle sut que sa décision était prise. Il fallait qu'elle se sauve d'ici.

15

Short Cuts, Raymond Carver

Il arriva chez elle avec un livre de Raymond Carver et une bouteille de blanc. Il était nerveux.

Un aboiement retentit à son coup de sonnette.

Elle était pieds nus quand elle ouvrit. Elle portait un jean et une chemise blanche. Le chien vint le renifler. Un beau chien, se dit-il.

Ça sentait bon dans l'appartement. Une odeur de champignons.

Il regarda autour de lui avec curiosité. À part son métier et ses goûts en matière de livres, il ne savait pas grand-chose de cette fille. L'endroit était simple, pas très recherché. Ça faisait son affaire. Il n'était pas très recherché lui-même. Il sourit en pensant à sa propre *maison*, une cuisine plus une pièce double.

Elle ouvrit sa bouteille de blanc et lui en servit un verre. Le vin était bon, parfumé. Il prit place dans un fauteuil. Elle, sur le sofa. Le chien se coucha à ses pieds. Ils parlèrent. Du livre qu'il avait apporté, qu'elle avait déjà lu. L'inévitable météo, la librairie, Montréal, Québec, le journalisme.

Elle alla chercher des amuse-gueules, qu'elle disposa sur la table du salon. Ils parlèrent encore. La bouteille de blanc était vide.

Elle alla à la cuisine préparer la suite. Il lui emboîta le pas. Le lapin aux cèpes embaumait. Son nez lui disait qu'il y avait aussi du vinaigre balsamique dans la recette. Elle ouvrit une bouteille de rouge. Ils trinquèrent.

Elle se tourna pour remuer sa sauce.

Il l'enlaça, par-derrière, et enfouit son nez dans son cou, à la racine des cheveux, pour capter l'essence de son odeur. Elle sentait l'herbe coupée et les fleurs.

Elle laissa tomber la cuillère, se tourna et l'embrassa.

Ils mangèrent le lapin beaucoup plus tard.

16

L'agresseur

Marie était dans un cul-de-sac. Jusque-là, l'histoire de Stéphane Bellevue s'était déroulée comme une pelote de laine, à partir du premier brin fourni par le criminologue. Toutes ses entrevues s'étaient terminées par un nom, une autre personne à chercher, un autre témoignage à portée de main.

Mais après l'entrevue avec Éric Plante, il n'y avait rien eu. Vers l'âge de treize ans, les deux garçons avaient été placés dans des centres pour adolescents différents. Éric Plante avait totalement perdu de vue son ancien ami. Jusqu'à ce qu'il le revoie à la télé.

Tout ce qu'elle avait, c'était le nom du centre où avait séjourné Bellevue par la suite. Un centre, et une année : 1973. Aussi bien dire mille ans.

Elle se renseigna. Le centre avait changé de nom plusieurs fois, mais il existait toujours. C'était un centre de réadaptation de bout de ligne pour la région des Laurentides. On y retrouvait les cas les plus lourds.

Marie demanda une rencontre avec les autorités de

l'établissement. Le directeur mit un bon moment à la rappeler.

Dès qu'elle avait mentionné le nom de Stéphane Bellevue, l'homme était devenu mal à l'aise, avait constaté la journaliste au téléphone. Il l'avait convoquée à une rencontre pour le lendemain.

Le centre était perdu dans la campagne. De loin, on aurait dit une prison, à cause des hautes clôtures de barbelés qui l'entouraient.

À l'entrée, la réceptionniste lui donna un badge et un petit appareil doté d'un bouton rouge.

— C'est un bouton d'urgence, dit la femme. C'est une mesure de sécurité. Si jamais vous avez un problème, vous appuyez sur le bouton. Les agents vont arriver très rapidement.

Marie n'avait jamais vu de telles mesures de sécurité dans un établissement pour jeunes. Les pensionnaires devaient vraiment être très difficiles ici, se dit-elle.

Le directeur l'attendait dans une salle de conférences. Il n'était pas seul. Il fit rapidement les présentations. Monsieur le directeur de la région des Laurentides. Micheline Evans, une ancienne employée du centre.

Marie nota les noms en soupirant. Quelle armée pour répondre à mes questions, se dit la journaliste. Généralement, la facilité à obtenir des réponses était inversement proportionnelle au nombre de personnes sur place. Cette entrevue allait être inutile, pensa-t-elle.

Elle serra la main de tout le monde, s'assit sagement sur la chaise qu'on lui désigna. Puis, elle fit sa demande.

En somme, elle voulait retrouver des intervenants qui auraient connu Stéphane Bellevue à l'époque de son adolescence.

Le directeur était assis au bout de la table. Il la laissa parler, puis resta muet. Ce fut son collègue responsable de la région des Laurentides qui répondit.

— Nous avons réfléchi à votre demande, madame Dumais. Notre réponse est malheureusement négative. Nous ne vous aiderons pas. Et de plus, nous interdirons à tous nos intervenants de participer à votre enquête.

— Mais pourquoi? demanda Marie.

Elle était renversée. C'était une chose que de refuser de participer, c'en était une autre que de transmettre un mot d'ordre à tous les anciens membres du personnel. En outre, pour une histoire qui datait de près de quarante ans…

L'ancienne employée répondit à sa question. C'était une femme forte aux cheveux blonds platine. Elle avait une voix rauque de grosse fumeuse.

— Stéphane Bellevue recherche l'attention, dit la femme. Il boit cette attention comme du petit-lait. Déjà, il est fier d'avoir été dans tous les médias. Vos articles vont lui donner une gratification importante. Voir son histoire racontée dans le journal, avoir son visage à la une, ça va être le couronnement de sa carrière de criminel, en quelque sorte. Madame Dumais, pour employer une image brutale, Stéphane Bellevue va probablement avoir une érection en lisant vos papiers. Et ça va l'encourager à continuer d'agresser.

Marie était sans voix. La femme se racla la gorge.

— En fait, madame Dumais, vous ne devriez pas publier ces papiers. Je vous conseille de renoncer à votre enquête.

C'en était trop. Marie sortit de ses gonds.

— Mais de quoi vous mêlez-vous ? Je fais mon travail de journaliste. Vous avez le droit de me refuser votre collaboration, pas de me dicter ce que je devrais écrire ou pas.

Elle s'aperçut qu'elle criait presque. Elle devait baisser le ton. Elle allait perdre toute chance de gagner son point si elle s'énervait.

— Madame Dumais, ce que je vais vous dire n'est pas pour publication, dit la femme, le regard dur. J'ai très bien connu Stéphane Bellevue. À la toute fin de son passage chez nous, j'étais chef de l'unité où il était hébergé. Quand il est parti, à dix-huit ans, j'étais certaine qu'il allait agresser. Ce n'était qu'une question de temps. J'en étais tellement certaine que j'ai gardé le contact avec lui le plus longtemps possible, pour savoir où il était, ce qu'il faisait. Un jour, il m'a dit qu'il était bénévole dans une équipe de hockey. J'ai immédiatement appelé la police. Ils ont averti le coach. Bellevue a été remercié.

— C'est très intéressant, ce que vous me racontez là, dit Marie, qui avait retrouvé son calme. C'est exactement le genre de témoignage que je cherche. Pourquoi ne pas me parler ?

— Parce qu'en évoquant son passé ces papiers vont forcément présenter Stéphane Bellevue comme une victime, répliqua la femme. Or, il n'est pas une victime. C'est un agresseur. Un dangereux agresseur.

Marie repensa à Suzanne Bellevue et à son père. À l'affiche aux carrés colorés de Marcel Dion. À Éric Plante, à son visage quand il évoquait les « punitions » du frère Blaise. Elle avait la gorge nouée. Sa voix tremblait légèrement quand elle prit la parole. Pas bon, ça, pensa-t-elle. Je suis trop émotive.

— Stéphane Bellevue est un agresseur, c'est incontestable. Il a commis un crime affreux. Mais il est aussi incontestable que son enfance est une histoire bouleversante. Il a subi beaucoup de choses très difficiles. C'est le moins qu'on puisse dire. On n'a jamais raconté cette histoire. En toute justice, je crois qu'elle devrait être racontée. Je ne veux pas le transformer en victime, en aucun cas je n'évacuerai l'horreur de son crime. Mais je veux donner aux lecteurs un portrait complet de cet homme. En fait, ce que j'aimerais comprendre, madame, c'est comment un enfant qui a de telles difficultés se transforme en agresseur. Où est le point de bascule ?

— C'est exactement ce que je vous dis. En écrivant ça, vous allez lui fournir une justification de ses actes. Dans sa tête à lui, vous allez l'excuser. Il agresse parce qu'il a eu une enfance difficile, parce qu'il a été agressé, parce que ci, parce que ça. Il va se saisir de ça, madame Dumais. Il va se saisir de ça pour recommencer. Et vous en serez en partie responsable. Savez-vous bien ce que c'est qu'un pédophile ? Avez-vous des enfants, madame Dumais ?

Marie n'avait jamais été l'objet d'une telle entreprise de chantage émotif. Elle était en colère, écœurée. Elle ne prit même pas la peine de répondre à la question.

Les deux hommes autour de la table étaient muets.

Ils écoutaient l'algarade entre les deux femmes. Ils étaient manifestement stupéfaits du tour qu'avait pris la conversation.

Elle les regarda. Le directeur de la région des Laurentides s'éclaircit la voix.

— Nous partageons l'opinion de Mme Evans, dit-il.

Marie repartit de la salle de conférences en claquant la porte. Elle jeta son badge sur le bureau de la réceptionniste, démarra sa voiture en trombe. Elle avait rarement été aussi furieuse. Mais comment cette femme pouvait-elle se permettre de lui faire la leçon?

La route la calma. Elle avait toujours aimé la campagne. Dans un champ, à sa droite, les plants de maïs avaient été coupés. Les restes, jaunes et secs, étaient alignés, droits comme des soldats, dans les sillons. Les vaches étaient sorties. Le ciel était d'un bleu lumineux. Elle respira profondément. Une bonne odeur de fumier. Elle sourit, toute seule dans sa voiture.

En fait, elle était furieuse parce qu'elle avait peur que cette femme ait raison, admit-elle après un moment. Allait-elle encourager Bellevue à commettre de nouvelles agressions en écrivant sur lui? Devait-elle balancer le résultat de son enquête pour des raisons éthiques? C'était beaucoup demander. Pour elle, et pour ses patrons.

Le raisonnement qu'elle tenait était à peu près le même qu'on imposait aux médias depuis des décennies pour les cas de suicide, se dit-elle. Il ne faut pas en parler parce que ça encourage d'autres personnes à se suicider. Dans le cas de Bellevue, il ne faudrait pas parler de son passé parce que ça lui donnerait une excuse pour récidiver. Marie soupira. Elle voulait seulement raconter l'histoire d'un homme.

Sur la route, son téléphone sonna. Elle n'avait pas encore activé le satané mains libres. Elle détestait ce bidule. Elle se stationna au début de la longue entrée d'une ferme, bordée d'arbres, et répondit.

— Madame Dumais?

C'était le directeur du centre. Celui qui n'avait pas dit un mot durant la rencontre. L'homme était hésitant.

— Cet appel peut rester entre nous? Je ne voudrais en aucun cas que mon nom soit mentionné, ni dans vos articles ni à d'autres personnes.

— Pas de problème, fit Marie.

— Je... j'ai un nom pour vous. Je pense que votre démarche est légitime. Mme Evans... c'est une personne assez particulière. Je n'ai pas voulu la contredire devant témoins. Elle est bien intentionnée, mais je pense que ses propos étaient... un peu durs. De toute façon. Trouvez Jacques Girard. Il a bien connu Bellevue. C'était son éducateur responsable pendant des années. Il est à la retraite, mais je sais qu'il habite à Laval. J'ignore s'il va accepter de vous parler, compte tenu de la directive qui sera émise, mais tentez votre chance.

— Vous ne pensez pas qu'elle a raison? que ces papiers pourraient pousser Bellevue à récidiver?

— Tout dépend de la façon dont vous allez écrire les textes. Avec ce que j'ai lu de vous par le passé, je vous fais confiance. Comme éducateur, j'ai connu des jeunes dont l'avenir était au moins aussi compromis que celui de Bellevue. Ils ont fait des choix différents. Pourquoi lui a-t-il choisi de devenir un agresseur ? C'est une question complexe. Je ne sais pas si vous allez réussir à y répondre. Mais elle est légitime.

Marie souriait en raccrochant. Jacques Girard. Elle tenait son nouveau brin de laine.

17

Sixième mois

Le pire, c'étaient les nuits.

Des nuits blanches, presque totalement blanches, entrecoupées d'instants de demi-sommeil peuplés de cauchemars.

Dans ces rêves affreux, elle était invariablement visitée par ses hommes. Le Prof, évidemment. Eddy, son chum de Montréal, celui qui l'avait amenée danser dans les bars. Et le client de la salle de lavage. Ils formaient un cercle autour d'elle. Elle était nue et vulnérable, à la merci de leurs poings, de leurs queues.

Et d'autres nuits, c'est son père qui venait la visiter. Elle se faisait jeter dehors de chez elle, encore et encore. Elle revoyait la scène, dans la cuisine. Sa mère, affolée. Son frère et sa sœur, absents. Son père, hors de lui, inflexible. Un bloc de fureur.

Elle s'éveillait de ces rêves en panique.

Il n'y avait pas de sevrage physique pour les usagers du crack, avait appris Jade à son arrivée au centre. C'est vrai, elle ne tremblait pas comme les héroïnomanes. Elle ne trempait pas ses draps de sueur. Elle ne souffrait pas physiquement.

Mais elle avait peur.

Le premier soir, la panique avait été totale. Elle n'avait plus de roches, plus de roches, plus de roches. Elle avait lancé tout ce qu'elle pouvait lancer dans sa chambre. Elle voulait juste sortir. La porte n'était pas verrouillée. Elle était sortie dans le corridor, elle s'était rendue jusqu'à l'entrée. Les intervenants étaient venus. Ils lui avaient parlé. Au début, son cerveau ne laissait rien entrer. Tout ce qu'elle voulait, c'était sortir. Puis, l'un d'entre eux avait posé sa main sur son ventre. Elle s'était souvenue. Elle était ici pour le bébé. Il fallait rester. Il lui avait fallu un effort de volonté quasi surhumain pour retourner dans sa chambre.

Les premiers jours, son cerveau était resté fixé sur les roches. Une torture. Pour se changer les idées, on lui avait conseillé de sortir de sa chambre, de marcher, de s'activer.

— Quand ta cassette part, va parler, va faire du sport, va marcher. Il faut fermer la porte à l'idée.

Mais elle se sentait incapable de sortir dehors. Elle avait trop peur que ses jambes veuillent s'enfuir malgré elle. Elle avait donc fini par faire les cent pas dans sa chambre. Elle chantait à voix haute, les mains sur les oreilles, en marchant. Il fallait penser à autre chose. Il fallait penser à autre chose. Mais la pensée de la roche et du bien-être qu'elle procurait était plus forte que tout. Le goût de la roche était comme imprimé dans son cerveau. Il n'y avait pas de place pour autre chose dans sa tête.

Après quelques jours, la pensée de la roche avait disparu. Elle avait laissé place à une immense mer noire. Jade passait ses journées couchée. On lui apportait des plateaux dans sa chambre. Elle ne les mangeait pas. Elle ne se lavait plus. Elle n'avait plus la moindre parcelle d'énergie. L'espoir d'être heureuse l'avait définitivement quittée.

Jade avait envisagé de se tuer. Elle avait passé de longues heures à élaborer des plans de suicide. Se pendre avec un drap. Casser une fenêtre, se trancher les poignets avec les éclats. Elle était engloutie dans un *down* insurmontable, le paiement de tous les *highs* que le crack lui avait procurés depuis deux ans.

Elle ne s'était pas tuée. Andréanne était venue passer quelques jours au centre. Elle s'était assise dans sa chambre. Elle lui avait parlé. Sa voix était apaisante.

— Je pourrais apporter un livre la prochaine fois. Aurais-tu le goût que je te fasse la lecture ?

Un livre ? Un livre. C'était comme un souvenir de son ancienne vie, chez elle, chez ses parents. Noyée dans sa mer noire, elle fondit en larmes en revoyant cette existence sans histoire et sans drogue dans un petit bungalow de banlieue, son école, sa mère, son frère. Son grand frère. C'était quoi, déjà, son livre ?

— Oui, j'aimerais ça que tu me lises un livre, dit-elle d'une toute petite voix. *L'Amélanchier,* tu connais ça ?

Andréanne avait trouvé le livre et l'avait lu. Jade avait retrouvé Tinamer de Portanqueu, Bélial, Etna, Thibeau, Jaunée, Bouboule, Monsieur Northrop et sa boussole. Le bois enchanté, les arbres qui parlent, le feu d'artifice de l'amélanchier au printemps. Elle avait eu l'impression de replonger dans l'eau fraîche de son enfance.

La mer noire s'était retirée lentement au fil des pages.

Elle avait commencé à se lever, à manger. Elle était même allée marcher dehors, sur le bord du lac. Elle se laissait bercer par la routine du centre. Lever, déjeuner préparé par les bénéficiaires, groupes de thérapie, lunch préparé par les bénéficiaires, tâches diverses, temps libre, thérapie individuelle, souper, temps libre. Toujours la même chose. C'était bon.

Puis, sans crier gare, la peur était arrivée. Un jour, justement, où elle était dehors. Elle avait vu un homme qui se cachait derrière un arbre. C'était le Prof, elle en était sûre. Il l'avait retrouvée. Il venait la chercher. Elle allait le payer cher.

La terreur l'envahit. Elle parcourut à fond de train les quelques mètres qui la séparaient de la maison. Elle fonça dans sa chambre, verrouilla sa porte. Elle tremblait comme une feuille.

On lui avait parlé. On lui avait expliqué qu'il s'agissait là d'une phase normale du sevrage. Elle passait au travers d'une période de paranoïa. Elle allait peut-être avoir des hallucinations, des cauchemars. On était là pour l'aider.

Ils étaient tous revenus dans les jours qui avaient suivi. Le Prof, Eddy, le client de la salle de lavage. Elle les voyait un peu partout. Chaque fois, elle était envahie par la même panique.

Et chaque fois revenait l'envie de consommer pour chasser la terreur.

Les intervenants appelaient ça des *cravings*. Des obsessions de consommation. C'était l'héritage que le crack laissait à ses amants devenus sobres. La drogue modifiait de façon permanente la chimie du cerveau. Seuls les souvenirs positifs de la consommation demeuraient. Les autres étaient évacués. Les obsessions de consommation pouvaient survenir n'importe quand, même après des années d'abstinence. L'héritage du crack pesait lourd.

Jamais Jade n'avait pensé que ce serait si dur.

Quand elle était entrée dans le bureau de la D^{re} Tremblay, deux semaines auparavant, elle avait déjà peur. Elle savait que, dès le lendemain, le Prof allait voir qu'elle s'était sauvée. Qu'il allait mettre tout en œuvre pour les trouver, elle et les dollars qu'elle rapportait.

Quand Jade lui avait fait part de sa décision, la D^{re} Tremblay avait souri.

— Andréanne va aller vous reconduire au centre, Jade. Je vous revois dans un mois, pour votre suivi de grossesse.

— J'ai peur qu'ils me trouvent.

— Le centre est loin de la ville. À la campagne, sur le bord d'un lac, dit la médecin. Je doute qu'on vous cherche jusque-là. De toute façon, l'endroit est sécurisé. Vous allez rester là assez longtemps pour vous faire oublier, Jade.

Avant le départ pour le centre, elle avait caché quelques cailloux dans son sac, question de tenir. Elle en fuma un dans les toilettes du CLSC. Un autre dans les toilettes du resto où Andréanne l'emmena souper.

Il lui en restait quelques-uns encore, vérifia-t-elle.

En arrivant près du centre de thérapie, Andréanne s'arrêta sur le bord de la route bordée d'épinettes.

— Je sais qu'il te reste des roches. Donne-les-moi. Donne-moi ta pipe. Ça commence maintenant.

La fille la regardait dans les yeux. Bon Dieu, elle était sérieuse, comprit Jade.

— J'en ai pas, commença-t-elle par dire.

— Tu en as fumé une avant de partir. Une au resto. Tu en as d'autres. Je le sais.

Elle ne va quand même pas fouiller mon sac, se dit Jade.

— Si tu me les donnes pas à moi, ils vont te les prendre au centre. Ils sont pas mal sévères là-dessus. Tu es mieux d'arriver là clean.

Jade la regarda. Elle ne dit rien. Elle serra son sac contre elle.

Les deux filles s'affrontèrent en silence.

— Comme tu veux, dit finalement Andréanne en reprenant le volant. Tu gagnes vingt minutes, tout au plus.

En arrivant au centre, la nuit était tombée. Jade s'accrochait à son sac comme à une bouée de sauvetage. Les intervenants la regardèrent.

— Il faut que tu nous donnes ton sac, dit un blond. On va le mettre en consigne jusqu'à ton départ.

— J'ai des affaires importantes là-dedans, balbutia Jade.

— Ça va être en sécurité à la consigne, t'en fais pas, dit le blond.

Il souriait. Mais son regard était ferme, constata Jade.

Jade tenait son sac serré contre elle. Les intervenants ne disaient rien. Andréanne non plus. Ils la regardaient.

— C'est maintenant que tu dois choisir, Jade, finit par dire Andréanne. Si tu ne donnes pas ton sac, je te ramène à Montréal, on y retourne tout de suite. Mais tu sais ce que ça veut dire pour toi. Pour ton bébé. Tu as dit à la D^{re} Tremblay que tu voulais changer de vie. Le premier geste que tu dois faire pour ça, c'est lâcher ton sac.

— Je veux aller aux toilettes avant.

Les intervenants se regardèrent. Tout le monde savait bien qu'elle n'avait pas besoin d'aller aux toilettes.

— Va dehors. Tu ne peux pas faire ça ici, dit le blond.

Andréanne l'accompagna.

Elles empruntèrent le sentier qui menait au bord du lac. La soirée était belle. Un vent frais faisait danser les grands herbages près de l'eau.

Jade s'assit par terre et alluma sa pipe. Elle respira le plus fort possible.

Le bien-être se répandit en elle comme une coulée dorée. Ça allait bien se passer. Ça allait être facile, pensa-t-elle. Elle regarda l'eau noire où se reflétaient les lumières des demeures qui bordaient le lac. La lune était pleine. Un huard chanta, un long hululement qui n'en finissait plus.

Andréanne la regarda.

— Donne-moi ton sac, maintenant.

Jade le lui tendit sans discuter. Elle avait les mains glacées.

Andréanne prit la pipe et le sac en plastique rempli de roches jusqu'au quart. Elle ramassa un gros caillou sur le bord de l'eau, le plaça dans le petit sac avec la pipe. Elle ferma soigneusement l'ouverture. Et jeta le tout dans le lac d'un geste sec.

Le plouf fut presque imperceptible. Les cailloux s'enfoncèrent dans la vase, tout au fond du lac.

Le huard chanta de nouveau.

18

L'Éducation de Jane, Charlotte Featherstone

Elle était arrivée le soir, bien après la fermeture. Elle avait travaillé tard. Une dure journée, lui avait-elle expliqué. Après avoir poussé la porte du panneau STOP, elle s'était jetée sur le sofa Montauk, dont les coussins étaient bourrés de duvet d'oie. Sur ce sofa, on avait l'impression d'être sur un nuage.

En meublant ce miniappartement, ça avait été sa seule folie, se dit Louis en la regardant se prélasser sur les coussins crème. Sa cuisine était depuis longtemps passée de mode, avec ses armoires en mélamine blanche et son plancher en damier.

Juste à côté, la pièce double qui faisait office d'un côté de salon, de l'autre de chambre à coucher était entièrement meublée de vieilleries achetées dans les marchés aux puces. Sauf le sofa, bien sûr. Ses parents lui avaient donné le matelas du lit lorsqu'il était parti en appartement. Quand il était seul, il lui arrivait parfois d'aller dormir sur le sofa, nettement plus confortable.

Mais maintenant, il lui arrivait souvent de ne pas

être seul. Il regarda Marie. Il était en train de tomber amoureux, ça, c'était certain.

Et elle, l'aimait-elle ? Il n'était pas capable de répondre avec certitude à la question. En tout cas, elle ne le lui avait jamais dit. Ils passaient parfois plusieurs jours sans se voir ; elle ne donnait pas de nouvelles. Puis, elle ressurgissait. Ils lisaient ensemble, ils discutaient, ils se faisaient de bonnes bouffes et ça finissait sous les couvertures.

Elle était du type « sexe viril ». Elle savait ce qu'elle aimait et elle voulait diriger. Il n'avait aucune objection. Il trouvait cela plutôt amusant : ça faisait changement. Il avait vu tellement de filles passives au lit, et tellement ennuyantes. Mais il se demandait souvent ce qu'il y avait derrière ce besoin pressant de domination. Il avait l'impression qu'elle ne se laissait pas totalement aller. Dans leurs étreintes, et dans sa vie en général. Elle le maintenait gentiment à distance.

Elle se tourna vers lui.

— Louis, je n'ai plus rien à lire. Conseillez-moi, monsieur le libraire.

Ils sourirent. Ils aimaient se rendre dans la librairie, après la fermeture. C'était un sentiment étrange, et vaguement interdit, que de se trouver dans la pénombre d'une boutique fermée, tout en sachant que de l'autre côté d'une porte on était dans une vraie maison, un cocon chaud et lumineux.

Ils prirent place dans les fauteuils de cinéma. Elle étendit ses pieds sur lui. Le petit jeu commençait.

— Quel genre vous tenterait, madame Dumais ?

dit-il du ton du parfait libraire s'adressant à une bonne cliente.

— Je ne sais pas trop, monsieur Hétu. Peut-être quelque chose d'un peu… osé?

— Osé? Vous êtes loin de vos sentiers habituels, madame Dumais.

Il réfléchit. Une lueur s'alluma dans son œil.

— Pour satisfaire les envies des clientes comme vous, M. Neveu avait fait l'acquisition d'un certain nombre de titres de la collection Harlequin érotique. Allons voir ce qu'on pourrait trouver.

Ils étaient tous rangés dans une étagère du bas. Couvertures à dominante rose. La collection « Spicy ».

— Des Harlequin « épicés », monsieur Hétu, ça promet, dit Marie.

Elle en prit un. Ils retournèrent aux fauteuils de cinéma.

— *L'Éducation de Jane,* lut Marie sur la couverture, par Charlotte Featherstone.

Elle retourna le livre. Elle lisait avec emphase.

— *Jane le sait : lord Matthew peut être dur. Cassant. Impitoyable avec ceux qu'il pense faibles. Pourtant, lorsqu'elle l'a trouvé, affreusement blessé, dans l'hôpital où elle travaille, et qu'elle l'a veillé jour et nuit, c'est lui qui, les yeux protégés par un bandage, se trouvait à sa merci. Lui, l'homme à la réputation sulfureuse, qui la suppliait de le laisser toucher son visage, sa peau, ses lèvres, son corps tout entier, comme si ces gestes troublants avaient le pouvoir de le ramener à la vie. Alors aujourd'hui, même s'il a recouvré la vue et risque de la trouver laide, comparée à ses nom-*

breuses maîtresses, même s'il est redevenu l'aristocrate arrogant dont les frasques libertines défrayent la chronique mondaine, Jane est décidée à se livrer à lui, corps et âme. Un choix insensé qui pourrait la détruire, mais devant lequel elle ne reculera pas. Car à l'instant où Matthew a posé les mains sur elle, elle a su qu'elle avait trouvé son maître...

Ils pouffèrent tous les deux.

— Il y a toujours un aristocrate arrogant à la réputation sulfureuse dans ces bouquins-là, dit-elle. M'aurais-tu caché, par hasard, ton statut d'aristocrate arrogant ?

— Je l'avoue, répondit-il. J'ai aussi soigneusement caché ma réputation sulfureuse.

Elle le caressait avec son pied. Il saisit sa main et l'attira contre lui.

19

Le mutant

Quand Marie se présenta, au téléphone, Jacques Girard éclata d'un bon rire.

— Enfin! J'attendais votre appel depuis un bon bout de temps.

— J'ai eu un peu de mal à vous trouver. Il y avait beaucoup de Girard à Laval, fit Marie, surprise.

Elle était certaine qu'il lui faudrait déployer des trésors de conviction pour parler à Girard. Or, l'homme au bout du fil semblait ravi.

— Vous connaissez donc le but de mon appel?

— Et comment, que je le connais! Quand cette chipie de Micheline Evans m'a téléphoné, la semaine dernière, je l'ai envoyée promener. Je n'étais pas capable de la sentir il y a quinze ans, et elle ne semble pas avoir beaucoup changé. Ça va me faire un sacré plaisir de vous parler. Juste pour la faire enrager. Dites, vous faites du vélo?

Marie fut prise de court.

— Mais oui. Pourquoi?

— J'ai l'habitude de rouler sur la piste du P'tit Train

du Nord pendant quelques heures quand il fait beau. On annonce du soleil demain. Ça vous dirait?

— Vous savez, monsieur Girard, le vélo, ce n'est pas l'idéal pour prendre des notes.

— On roulera jusqu'à un petit café. Vous pourrez prendre des notes là-bas. Rendez-vous à neuf heures au début de la piste, à Saint-Jérôme.

Le lendemain, Marie était au poste à l'heure dite. L'automne était à son plus beau. Le long de la piste, des bosquets de fougères avaient tourné au rouge cerise. Les feuilles d'une espèce particulière de petit arbre formaient comme une dentelle délicate, caressée par le vent. Il faisait beau, mais pas chaud. Elle avait revêtu certains des éléments de sa combinaison de vélo d'hiver. Et des gants.

Jacques Girard arriva, tenant le guidon d'un vélo rouge vif. Marie n'y connaissait pas grand-chose, mais l'engin semblait perfectionné. L'homme paraissait plus vieux que sa voix.

Ils commencèrent à rouler. Girard allait vite.

— Il va falloir ralentir un peu, si vous voulez qu'on parle, lança-t-elle dans son dos.

L'homme se retourna à demi en souriant.

— C'est vrai. J'oubliais qu'on est ici pour une entrevue.

Il adopta un rythme plus lent. Constatation numéro un, nota Marie : Jacques Girard était un fou du vélo.

— Sans indiscrétion, quel âge avez-vous?

— J'ai eu soixante-dix ans le mois dernier, dit-il sur un ton sec.

Oups, on change de sujet, se dit la journaliste.

Elle enchaîna presto avec ses recherches sur Bellevue. Le visage de Jacques Girard s'éclaira. Il était épaté.

— Vous avez même réussi à retrouver son compagnon d'orphelinat. C'est fort. C'est un témoignage précieux que celui-là. Pendant six ans, ce gars a côtoyé Bellevue de plus près que n'importe quel éducateur. Pendant qu'il se formait comme adolescent.

— Et vous ? Vous l'avez connu à quel âge ?

— À son arrivée dans mon unité, il avait quatorze ans. C'était tout un cas, je vous assure.

À l'époque, expliqua-t-il à Marie, le centre d'accueil n'avait ni salle d'isolement ni gardien de sécurité. Les éducateurs étaient chargés de maîtriser eux-mêmes les crises des pensionnaires.

— Et il en faisait, des crises. De sacrées crises. Avec la carrure qu'il avait à quatorze ans, il fallait s'asseoir sur lui pour le calmer. Ça nous prenait tout notre petit change, raconta Jacques Girard en roulant.

Marie tenta de graver cette citation dans sa tête. Quelle idée de faire une entrevue à vélo.

— Dites, on arrive bientôt, à votre café ?

— Vous voulez prendre des notes, je gage. À une condition : vous ne mettez pas mon nom. La Evans va savoir que c'est moi, mais si mon nom n'est pas là, elle ne pourra rien prouver. Identifiez-moi simplement comme éducateur. Nous étions plusieurs.

Au loin, Marie distingua une enseigne en forme de tasse de café. Alléluia, pensa-t-elle.

Ils s'attablèrent devant des cafés au lait. Jacques

Girard avait une barbe et des cheveux blancs. Des yeux intelligents derrière ses petites lunettes.

— Alors, que voulez-vous savoir?

À l'arrivée de Bellevue dans l'unité, Jacques Girard avait été désigné comme éducateur de suivi. Le jeune avait gardé le même tempérament de bouc émissaire. Il dénonçait constamment les mauvais coups, réels ou imaginaires, de ses compagnons d'unité.

— Évidemment, ce n'était pas le gars le plus populaire dans la place, résuma Jacques Girard. Il était grand, costaud, il aurait pu tous les battre avec une main, mais il venait toujours pleurer auprès des éducateurs. Surtout à moi, en fait. Il était très attaché à moi.

Micheline Evans avait raison sur un point, reconnut Girard : Stéphane Bellevue avait un besoin chronique d'attention.

— C'était quasiment une drogue pour lui. Quand il voyait qu'on s'occupait d'un autre jeune, il faisait tout pour redevenir le centre d'intérêt. La plupart du temps, en faisant une crise.

Lors de ces crises, Bellevue se démenait avec toute la force de son corps de géant, se rappela Jacques Girard. Il hurlait, il criait des insanités.

— Parfois, il fallait être trois pour le tenir. C'est comme s'il allait se briser en morceaux. Comme s'il comptait sur nous pour garder tous les morceaux ensemble. C'est un vrai miracle qu'il n'ait jamais blessé personne au centre.

Un jour, lui raconta Girard, l'un des éducateurs du centre s'était marié. Il avait invité à ses noces une bonne partie du personnel de l'unité. Les jeunes avaient été laissés avec des éducateurs remplaçants, sans grande expérience.

— Le gâteau de noces n'était pas encore mangé que mon téléavertisseur vibrait. Stéphane était désorganisé d'une façon tellement spectaculaire que les éducateurs étaient dépassés. J'ai été obligé de quitter le mariage pour retourner au centre.

Jacques Girard racontait l'anecdote avec un sourire. C'était difficile à croire, mais ce gars-là semblait avoir aimé Bellevue.

— On dirait que vous l'aimiez, dit Marie.

— Il provoquait un sentiment de répulsion chez à peu près tout le monde. Moi, j'avais pitié de lui. En tout cas, au début.

— Pourquoi, de répulsion?

Girard hésita.

— Les pulsions lui sortaient par les pores, dit-il doucement.

— Comment ça? Que voulez-vous dire?

— Il suait, répondit Girard.

Il prit une pause.

— C'est difficile à expliquer, soupira-t-il.

— Essayez, dit Marie. C'est important.

— Disons qu'un nouveau jeune arrivait dans l'unité. Ou un nouvel éducateur. Tout de suite, il allait lui parler. Je veux dire, il se jetait littéralement sur lui. Il rentrait trop dans sa bulle, vous comprenez? Et à un moment donné, il accrochait sur quelque chose. Disons les fesses du petit gars. Il fixait. Et il suait.

— Pourquoi?

— Parce qu'il le voulait, répondit brutalement Girard. Quand il voulait quelque chose, il suait.

Bellevue et Girard avaient des rencontres hebdomadaires. Bellevue était un vrai moulin à paroles lors de ces rencontres, mais il ne disait pas grand-chose en réalité.

— Un jour, j'ai fait une expérience avec lui. J'ai apporté un morceau de gâteau à la rencontre. Je l'ai placé sur le bureau, sans rien dire. Après quelques instants seulement, il suait. Il voulait le gâteau. Il travaillait fort pour ne pas le prendre. Son regard revenait toujours dessus. Vous comprenez, le gâteau, ça aurait pu être n'importe quoi. Ça aurait très bien pu être un enfant.

— Mais lui est-il arrivé de passer à l'acte avec un jeune? d'en agresser un?

— Non. Mais à un certain moment, il a commencé à y penser. On l'a vu à l'occasion d'un événement bien précis.

— Lequel?

Bellevue avait obtenu de pouvoir faire une sortie du centre pour aller voir sa mère. Les éducateurs avaient autorisé la sortie, sévèrement limitée dans le temps. Le jeune avait quitté le centre après le dîner. Il devait appeler après une heure, à son arrivée chez la mère, rester une heure chez elle, et rappeler à son départ.

Stéphane Bellevue était revenu au centre escorté par deux policiers. Les agents racontèrent à Girard que Bellevue avait accosté un jeune, à son retour, dans l'autobus. Il l'avait intimidé, lui avait ordonné d'aller voler des friandises au dépanneur pour lui.

— Bien entendu, le petit gars s'était fait prendre et il avait dénoncé Stéphane. Le plan était pourri. Stéphane, ce n'était pas un grand cerveau. Mais cet incident-là m'a frappé. C'était la première fois qu'il s'en prenait à quelqu'un d'autre, qu'il se servait de sa carrure pour faire peur. À un enfant, par-dessus le marché. J'ai dit aux policiers que, même si l'incident leur semblait mineur, je voulais porter plainte. Je tenais à ce qu'il ait une conséquence pour ce geste-là. J'ai trouvé ça très inquiétant.

Le point de bascule, se dit Marie. Le voilà.

— Et pourquoi il a fait ça, vous pensez?

— La pulsion. Et la rage, répondit simplement l'ancien éducateur.

Stéphane Bellevue était un adolescent plein de rage, lui expliqua Girard. Jusqu'à ce moment, dans cet autobus, il avait choisi de tourner cette rage contre lui-même en se définissant comme masochiste, comme bouc émissaire dans le groupe. En faisant des crises, il avait franchi une seconde étape. Il s'en prenait au matériel, au personnel.

— Mais ce n'était pas réellement une agression, parce qu'il savait qu'on était capables de le contenir. Il désirait, en fait, qu'on le contienne. Il a donc retourné sa rage contre lui pendant des années. Et puis, ça a évolué. La rage s'est retournée contre les autres. C'était un être de pulsions, je vous l'ai dit. Pulsion sexuelle, mais aussi pulsion destructrice, qu'on n'a jamais réussi à réfréner. Malgré tous nos efforts.

Marie voulut pousser le questionnement plus loin.

— Et pourquoi a-t-il choisi, à un moment donné, de retourner cette rage contre les autres?

— Parce que c'est un carencé, comme on disait dans le temps. Vous connaissez l'histoire du voleur carencé?

— Non, fit Marie.

— Le voleur délinquant qui vole une voiture a un plan. Il repère le véhicule. Le vole de nuit. Le fait repeindre, fait changer la plaque d'immatriculation. S'il se fait prendre, il invente une histoire. Le voleur carencé, lui, vole l'auto en plein jour. Il lance une brique dans la fenêtre. Tout le monde le voit. Il se fait prendre après trois coins de rue. Et que dit-il? « L'auto est à moi. » Pourquoi il dit ça? Parce qu'il n'a pas de notion de l'autre. L'autre n'existe pas. Et s'il n'existe pas, alors je ne vole pas. L'auto est à moi.

Jacques Girard gratta un reste de mousse de lait dans sa tasse de café. Il ne souriait plus.

— C'est comme ça qu'il a fini par tuer. Et notez la marque du carencé: après le crime, plutôt que de se sauver, il a fait semblant de participer à la battue, il a montré sa face à la télé. Jamais il n'a imaginé qu'il pourrait se faire prendre.

— Bellevue a-t-il commis d'autres délits pendant son passage chez vous?

— Oh oui, répondit Girard avec un sourire triste. L'histoire de l'autobus était un début, un tout petit début.

20

Septième mois

Jade faisait semblant de lire un magazine. En réalité, elle regardait les autres filles dans la salle d'attente. Elles étaient comme elle, avant, se dit-elle. Maigres, cernées, nerveuses. La plupart d'entre elles étaient probablement héroïnomanes. Elles n'avaient pas arrêté de consommer malgré la grossesse. Elles essayaient d'en prendre moins. D'autres consommaient de la méthadone, moins nocive pour les bébés. Mais bon, les effets étaient à peu près les mêmes.

De quoi aurait l'air leurs bébés à la naissance ? se demanda Jade. Et de quoi aurait l'air le sien ? Elle se caressa le ventre. Après la cure, elle avait recommencé à manger. Elle avait pris du poids. Sa grossesse se voyait enfin.

Vers la fin du traitement, au centre, elle se demandait si elle allait s'en sortir. Si elle allait enfin voir le bout du tunnel. C'est là que le bébé avait commencé à bouger. Des petits coups de pied. C'est ce qui lui avait donné la dernière poussée. Le plus dur était fait. Il fallait qu'elle termine, il fallait qu'elle se remette. Elle voulait offrir deux, trois mois d'abstinence à cet enfant. Question d'essayer de réparer ce qui avait peut-être été brisé.

Jade essayait de ne pas penser aux effets que sa consommation avait pu avoir sur l'enfant. La culpabilité était trop dure à encaisser. La D^{re} Isabelle Tremblay lui répétait la même chose, à tous ses rendez-vous.

— Arrêtez de penser à ce que vous avez pu faire à votre bébé en consommant. Pensez plutôt au cadeau que vous lui avez fait en arrêtant. Beaucoup de mères n'en sont pas capables, Jade. Vous l'avez fait.

Elle avait fait comme la D^{re} Tremblay avait dit, à son premier rendez-vous. Elle avait changé de vie. D'abord, la désintox. Puis, la médecin lui avait trouvé une place dans une ressource d'hébergement pour jeunes mères en difficulté. Elle avait son petit appart supervisé par des intervenantes dans le quartier Rosemont. D'autres jeunes mères vivaient dans le même immeuble. Les intervenantes étaient là tous les jours. Elles aidaient les jeunes femmes à remplir les papiers pour l'aide sociale, à trouver une garderie pour leur enfant, à reprendre leurs études.

Car le programme était vaste. Pour la plupart, elles devaient tout réapprendre.

La première fois qu'elle s'était retrouvée dans une épicerie, Jade s'était promenée avec son panier vide dans les allées pendant de longues minutes. Qu'est-ce qu'il fallait acheter ? Elle l'avait fait, dans le temps de Juju, sans grand succès. Elles se nourrissaient la plupart du temps de beurre d'arachide et de macaroni au fromage. Cette fois, elle voulait faire ça correctement. Elle essaya de se souvenir des recettes de sa mère. Un poulet rôti, tiens. C'était bien, ça. Mais comment est-ce qu'on le faisait, au juste ? Elle n'avait jamais été très bonne en cuisine. Si seulement elle était partie de chez elle comme il faut, avec quelques conseils culinaires de sa mère, des livres de recettes…

Les larmes lui montèrent aux yeux au beau milieu de l'allée des légumes. Ça s'était tellement mal passé. Et elle était tellement coupable.

Une fois qu'elle aurait son bébé, une nouvelle vie, oserait-elle rappeler à la maison ? Dire à son père que les choses allaient mieux, que la drogue était sortie de sa vie ? Il était terriblement inflexible. « Je ne veux plus jamais te voir. » C'est ce qu'il lui avait dit.

Elle avait fini par ne pas acheter grand-chose. Macaroni au fromage, céréales, pain, beurre d'arachide, pommes. En sortant avec ses deux sacs, elle avait failli pleurer. C'est dans ces moments que l'envie de poffer surgissait.

La semaine suivante, les intervenantes l'avaient invitée à la cuisine collective de l'immeuble. Elle y était retournée. Et maintenant, elle commençait à avoir une idée de la façon de rôtir un poulet.

Il lui restait quand même un bon fond de peur. Elle sortait rarement du quartier, qui se trouvait assez loin du centre-ville pour être sécuritaire, estimait-elle. Elle ne s'approchait de la Sainte-Catherine que pour aller à l'hôpital Saint-Luc, où travaillait la D^{re} Tremblay. Clinique des mères toxicomanes. Elle portait encore l'étiquette, même si elle ne consommait plus. Elle était toujours à risque, elle le savait. Et son bébé avait subi des séquelles. L'infirmière qui s'occupait souvent d'elle le lui avait bien expliqué, la première fois. Doucement, sans insister. Jade avait bien vu qu'elle ne voulait surtout pas la décourager. Elle lui avait montré des petites vignettes sur le développement du bébé. Son bébé à elle était petit. Il allait peut-être naître avant terme. Il pleurerait beaucoup.

Une fois, elle avait entendu pleurer le bébé d'une autre fille. Les chambres de naissance étaient tout près. Le bébé était né depuis à peine quelques heures. Le cri du nourrisson l'avait glacée. Un hurlement de souffrance pure. Toutes les patientes de la salle d'attente s'étaient regardées. Elles savaient toutes par quoi passait le bébé. Le manque. Le bébé était en manque.

Plus tard, Jade avait demandé à Isabelle Tremblay ce qu'on faisait avec les bébés lorsqu'ils hurlaient ainsi.

— Les bébés qui crient comme ça sont nés de mères héroïnomanes. Quand le bébé souffre trop, on lui donne de la méthadone en sirop, répondit la médecin. Votre bébé à vous ne va pas faire ça. Mais il va pleurer beaucoup. Très souvent. Vous allez devoir être très patiente avec lui.

Aujourd'hui, Jade était nerveuse. La D^{re} Tremblay l'avait convaincue de rencontrer une travailleuse sociale de la DPJ. Dans le cadre de la clinique conçue pour les mères toxicomanes, la DPJ acceptait de rencontrer les mères avant même que l'enfant naisse. La collaboration entre les services sociaux, les mères et l'équipe soignante favorisait la prise en charge du bébé par la mère. La mère devait arrêter ou diminuer considérablement sa consommation. En échange, la DPJ faisait preuve d'une certaine tolérance. Le programme évitait bien des placements déchirants à la naissance.

Avant la mise sur pied du programme, Isabelle Tremblay avait souvent été témoin de tels placements. Elle se souvenait particulièrement de l'un d'eux. Les parents venaient tout juste de laver le bébé. La mère serrait l'enfant contre elle, elle tentait de le mettre au sein. Le conjoint était présent. Pour la médecin, c'était toujours là un moment magique. Le premier instant d'intimité entre une mère et son enfant.

Puis, la travailleuse sociale était entrée, avec les agents de sécurité de l'hôpital. Ils avaient pris le bébé.

Le conjoint était entré dans une rage folle. Il avait dû être escorté à l'extérieur par trois agents. La mère était restée prostrée pendant des jours.

De telles situations se produisaient encore. Mais elles étaient bien plus rares. Le travail d'apprivoisement entre les parents et la DPJ était fait avant la naissance. Les services sociaux savaient que l'hôpital allait suivre la mère et faire un signalement si la situation dégénérait.

Mais il n'avait pas été facile de convaincre Jade. Compte tenu de son historique, elle avait une peur bleue de la DPJ.

— Est-ce qu'ils pourraient m'enlever mon bébé? lui avait-elle demandé.

— Si vous continuez comme vous le faites actuellement, c'est absolument impossible, lui avait répondu Isabelle Tremblay.

— Et si jamais je consommais?

— Ils vont avoir une plus grande tolérance avec vous s'ils vous connaissent.

Puis, la médecin sortit son argument massue.

— S'ils voient que vous vous êtes reprise, que vous vous occupez bien de votre enfant, peut-être pourraient-ils vous permettre de revoir votre fille. Attention, je ne vous dis pas qu'elle reviendrait chez vous. Elle a une nouvelle vie depuis trois ans. Je crois que ça ne serait pas bon pour elle d'être ballottée d'une famille à l'autre. Mais vous pourriez avoir des droits de visite, par exemple.

Jade resta interdite. Pour elle, Juju était disparue. Revoir Juju. Elle avait sept ans maintenant. Elle allait à l'école. Elle essaya d'imaginer de quoi pouvait avoir l'air sa fille, avec un sac d'école sur le dos.

Elle accepta la rencontre avec la travailleuse sociale.

Les trois femmes se regardaient maintenant dans le bureau de la médecin avec une certaine gêne.

— Jade, je vous présente Pascale Daudelin. Pascale est travailleuse sociale. Elle collabore avec nous depuis plusieurs années maintenant. Je lui ai expliqué un peu votre histoire, enfin, la partie qu'elle ne connaissait pas.

Jade ne dit rien. Elle s'était assise le plus loin possible de la femme. Elle avait les mains fermement croisées sur son ventre.

— Heureuse de vous rencontrer, Jade, dit simplement la femme.

— Je lui ai expliqué à quel point vous avez été courageuse, dit la médecin. Votre cure, et maintenant votre séjour en appartement supervisé. Ça se déroule admirablement, ajouta-t-elle à l'intention de la travailleuse sociale.

— C'est vraiment très bien, Jade. Je suis heureuse pour vous. De mon côté, j'ai aussi une histoire à vous raconter. Aimeriez-vous avoir des nouvelles de votre fille ?

Tous les sens de Jade se mirent soudain en éveil. Elle hocha la tête.

La travailleuse sociale sortit un dossier de sa valise.

— Elle vit depuis trois ans dans la même famille d'accueil. Elle est la plus jeune de trois enfants, dont deux sont les enfants naturels du couple. Ils vivent en banlieue, sur la rive sud de Montréal. Votre fille va très bien. Elle s'est adaptée à son nouveau milieu. Elle fonctionne bien à l'école. Si vous désirez la revoir, les parents d'accueil sont ouverts à des visites. Je leur ai parlé de votre cas la semaine dernière. Ce sont des gens très bien, très ouverts. Ils voudraient d'abord vous rencontrer seule, par contre.

Jade était sous le choc. Revoir Juju. Elle allait revoir Juju !

— J'ai apporté une photo de votre fille. Aimeriez-vous la voir ?

Jade prit la photo en tremblant. Sa fille avait gardé son beau teint café au lait. Ses cheveux étaient nattés. Elle portait une robe de jean à manches courtes. Elle était grande et elle souriait. Tout ce temps passé sans elle. Jade avait les larmes aux yeux.

— Je peux la garder ?

— Bien sûr, dit Pascale Daudelin.

Après un moment de silence, la travailleuse sociale posa une autre question.

— Avez-vous de la famille qui pourrait vous aider après l'accouchement ?

— Oui. Non, répondit Jade. J'ai une famille. Ils vivent à Québec. Mais ils ont coupé les ponts avec moi. À cause de la drogue.

— Peut-être aimeraient-ils avoir de vos nouvelles, maintenant que vous être sobre ?

Jade réfléchit. Revoir Juju. Et revoir sa famille. Tout un monde de possibilités s'offrait à elle.

Elle eut un léger vertige.

— Pas mes parents. Mon grand frère, peut-être. Il pourrait essayer de leur expliquer, dit-elle d'un ton hésitant.

— Voulez-vous que j'essaie de retrouver votre frère ?

Jade hésita.

— D'accord.

Pascale Daudelin lui tendit une petite carte. Son numéro de téléphone. Appelez-moi n'importe quand, lui dit la femme.

En arrivant chez elle, Jade aimanta la photo de sa fille sur le frigo. Dora, le singe Babouche et la petite enfin réunis.

Elle hésita, pour la carte. Puis, elle la plaça aussi sur le frigo.

21

Steal this Book, Abbie Hoffman

Ils avaient bien ri en feuilletant le livre. Un souvenir de Louis, rapporté d'une librairie de San Francisco. L'une des bibles de la contre-culture, rédigée en 1971 par le pape du mouvement hippie, Abbie Hoffman.

Le livre corné et jauni, dont certaines pages se détachaient de la reliure, était une relique d'une autre époque. En gros, Hoffman y expliquait comment vivre, manger, se divertir, sans verser un sou.

C'était aussi un petit manuel du parfait hippie. Comment rouler un joint. Comment entreprendre une plantation de pot ou utiliser les techniques de la guérilla urbaine. Le livre était délicieusement suranné. Il captait l'essence de la folie des années soixante et soixante-dix.

Louis avait raconté son voyage. Tour des États-Unis, deux mois à bord d'un Westfalia orange vif acheté d'occasion à un vieux granola du quartier Saint-Jean-Baptiste. Washington, les Blue Ridge Mountains, Atlanta, La Nouvelle-Orléans, le Texas, les parcs nationaux, puis la Californie.

Il lui avait montré ses clichés des colonnes de pierre rouge de Bryce Canyon, la solitude sauvage du Texas hors des villes, tout près de la frontière du Rio Grande, la route sinueuse et escarpée qui va de Los Angeles à San Francisco en passant par Big Sur. Louis avait adoré San Francisco. Il s'était installé en périphérie, dans une petite ville de banlieue sur le bord de l'océan : Half Moon Bay.

— C'est le plus beau camping que j'ai jamais vu, lui raconta-t-il.

Il avait stationné son Westfalia et arpenté les collines de San Francisco en vélo. C'est là, dans une librairie du quartier Haight-Ashbury, berceau de la culture hip, qu'il avait trouvé le livre de Hoffman.

De souvenirs en souvenirs, ils étaient passés aux albums photo de Louis. Ça commençait par un portrait de famille. Une petite fille en robe rouge sur les genoux d'un homme aux cheveux poivre et sel. Un adolescent, assis aux pieds de l'homme, regardait le photographe sans sourire aux côtés d'une préado. Et la mère, qui reposait sur le bras du fauteuil. La mère ne fixait pas l'objectif ; elle regardait ses propres enfants en souriant.

— L'ado, c'est toi ? demanda Marie.

— Oui, dit Louis en souriant. J'étais dans ma période cheveux longs. La grande, c'est ma sœur Julie. Mon père, dans le fauteuil. Ma mère.

Il fit une pause.

— Et la petite, c'est Jade.

Sa voix s'étrangla.

Marie le regarda. Elle ne dit rien.

— Jade, c'était le bébé. La préférée de mon père. Elle était jolie, vive, tout le monde l'aimait.

Nouvelle pause.

— Et puis, à l'adolescence, elle est tombée dans l'enfer de la drogue, comme on dit dans les journaux. Elle a rencontré un gars, un gars de gang, je pense. Elle a commencé à se droguer. Ça a atteint un point... Elle volait. Elle mentait. Mon père était plutôt à cheval sur la morale. Un ancien curé. Il a pas... super bien géré ça, disons. Faut dire que la situation était pas facile.

— Et qu'est-ce qui s'est passé?

— Mon père l'a mise dehors. Elle avait volé... quelque chose de très important pour lui.

Nouvelle pause. La curiosité de Marie était piquée.

— C'était quoi?

— Quand on est ordonné prêtre, on reçoit une mallette. Il y a un calice, un ostensoir, enfin, tout ce qu'il faut pour dire la messe. Avec son nom gravé dessus. Mon père était très attaché à ces objets. Il avait été prêtre pendant dix ans. Évidemment, tout ça n'était pas en or massif. Mais ma sœur a cru que ce l'était. Elle l'a volé. Et vendu. Probablement pour une somme dérisoire... Quand mon père a découvert ça, il est entré dans une rage folle. Il l'a jetée dehors. Il lui a dit qu'il ne voulait plus jamais la revoir.

— Et toi, tu étais où?

— Je ne vivais plus chez mes parents depuis plusieurs années. Ma mère m'a appelé le lendemain, en panique. Je l'ai cherchée partout. Elle avait comme disparu dans la nature. Son gars de gang l'avait bien cachée. Je n'ai jamais eu de ses nouvelles.

Marie le serra dans ses bras. Jamais elle ne l'avait vu aussi triste. Ils continuèrent à feuilleter l'album. Louis, à onze ans, avec Jade dans ses bras. Les trois enfants sur la plage. En forêt. Sur une montagne.

— Vous aviez l'air de bien vous entendre.

— J'adorais mes sœurs, dit-il simplement.

Il s'arrêta un instant.

— Je suis obligé de dire ça au passé à cause de Jade.

Le lendemain, elle passa chercher ses propres albums à son appartement.

— Tu m'as fait voir ton enfance. Je veux te raconter la mienne, lui dit-elle.

Elle était un peu nerveuse.

Elle était là, à sept ans, assise devant un dessin, blouse à fleurs brodées et cheveux nattés. Puis, elle jouait dans les feuilles avec une grande blonde.

— Ma sœur Catherine. Mes parents, dit-elle en montrant une autre photo. Ils sont décédés.

Ils passèrent à travers tout l'album.

— Tes photos de bébé sont dans un autre album ? demanda-t-il.

Elle le regarda.

— Je n'ai pas de photos de bébé.

— Comment ça ?

— J'ai été adoptée par ces gens-là à sept ans. Ma vie a commencé là.

Elle montra la photo du couple souriant sur l'un des clichés.

— Et avant, tu étais où ?

Louis était curieux. Ils n'avaient jamais abordé ce sujet avant.

— J'ai vécu avec ma mère biologique pendant cinq ans. Ensuite, j'ai fait un séjour à l'hôpital.

— Tu étais malade ?

— Non, dit-elle avec gêne. À l'hôpital... psychiatrique. J'étais un cas difficile. À l'époque, les services sociaux commençaient. Il n'y avait pas de ressources. On m'a envoyée dans une unité à l'hôpital.

Louis avait l'impression de lever le coin d'un voile épais. Finalement, cette fille était à l'image de ses sujets de reportage.

— Qu'est-ce que tu avais ?

— Je ne savais pas parler.

— Comment ça ?

— Ma mère, ma vraie mère, avait de graves troubles mentaux. Elle était convaincue que j'étais... disons, une sorte d'enfant de Dieu. Elle était sûre qu'elle ne devait pas me parler. Je devais vivre dans le silence. Je ne sortais jamais.

Louis était sidéré.

— Et tu as passé cinq ans là-dedans ?

— Oui.

Elle avait baissé les yeux. Elle était mal à l'aise, constata Louis.

Il prit son visage dans ses mains.

— Qu'est-ce que tu as ? Tu as peur que je parte en courant, c'est ça ?

— C'est ça, dit-elle d'une toute petite voix.

— Je t'aime, lui dit-il.

Il le pensait depuis longtemps. C'était la première fois qu'il le lui disait.

— J'ai peur, répondit-elle.

22

Le pyromane

Avant même le meurtre de Sébastien Labrie, le casier judiciaire de Stéphane Bellevue s'étendait sur plusieurs pages, constata Marie à la lecture du plumitif au palais de justice.

Elle calcula. Quinze condamnations criminelles au total. Cinq pour incendie criminel, une pour agression armée, sept pour avoir proféré des menaces de mort et deux pour possession d'arme (un couteau).

En plus, il y avait trente-trois omissions de se conformer à un engagement, seize défauts de se conformer à une ordonnance de probation. Quatre vols, huit méfaits, un vol par effraction, deux introductions par effraction, une fausse alerte à la bombe.

Cinq incendies criminels, donc, à partir du moment où il avait eu dix-huit ans. Mais les feux avaient commencé bien avant son départ du centre d'accueil, lui avait raconté Jacques Girard.

Stéphane Bellevue avait toujours été fasciné par le feu. Lors de rencontres avec la mère, l'éducateur en avait parlé. Suzanne lui avait rapporté que le premier feu de poubelle allumé par le jeune datait d'avant son entrée à l'école. À cinq ans.

— Un jour, il avait neuf ans, il était en visite chez sa mère. Il y a eu un gros feu à Saint-Jérôme. Suzanne l'a emmené voir. Il est resté devant le feu pendant au moins une heure, lui avait raconté Girard. Ça l'a marquée. Elle m'a avoué ça presque dix ans plus tard.

Après l'incident de l'autobus, Bellevue avait été condamné à des travaux communautaires par le tribunal. La peine était légère, mais le jeune avait désormais un casier judiciaire. Il avait changé d'unité. Micheline Evans était la chef de cette unité. Là-bas, il avait commencé à avoir des comportements de pyromane. Il avait volé un briquet dans le bureau d'un éducateur et mis le feu à la boîte aux lettres du centre. Il avait tenté d'allumer un autre incendie, dehors, avec des feuilles mortes. Les pompiers avaient dû être appelés.

— Bellevue était tellement fier ce jour-là. Tout ce déploiement déclenché par un de ses gestes, avait dit Jacques Girard.

Or, la pyromanie est souvent un signe de dérangement sexuel, lui avait expliqué l'ancien éducateur. Plusieurs prédateurs sexuels sont excités par le feu. C'est pourquoi on avait recommandé, dans le cas de Bellevue, une évaluation psychiatrique dans un hôpital. Là-bas, on lui avait fait passer un examen pléthysmographique.

— Le patient a un anneau souple autour du pénis. On lui montre des images, et on voit ce qui l'excite, avait sobrement précisé Girard.

Les images de feu avaient excité le jeune Bellevue. Les images d'agressions sexuelles sur des adultes, hommes ou femmes, pas du tout. Par contre, pour les enfants, c'était une autre histoire.

— Nos craintes ont été confirmées. Bellevue n'avait encore agressé personne ; en tout cas, aucune plainte formelle n'avait été déposée. Parfois, dans les unités où il avait été hébergé, il s'était passé des histoires, on avait eu des doutes. Mais l'examen montrait noir sur blanc que sa pyromanie était un symptôme. L'agresseur sexuel était là, latent.

Marie avait le rapport psychiatrique devant elle. L'obtenir avait été compliqué. Mais elle avait une relation qui travaillait dans un grand hôpital. Un soir, son contact était allé fouiller dans les archives de Pinel, prétextant vouloir retrouver le dossier d'un patient adulte. Heureusement, le dossier n'était pas informatisé. « Pas d'ordinateur, pas de traces », lui avait dit l'homme, sourire aux lèvres, en lui tendant une copie du dossier.

À dix-sept ans, ce que le dossier de Bellevue laissait présager était clair. « Pédophilie à prédominance homosexuelle avec problématique en pleine évolution. »

— Et nous, il fallait laisser sortir ce gars-là, avait soupiré Jacques Girard. On n'avait pas le choix : il allait avoir dix-huit ans.

Même si le jeune avait changé d'unité, Jacques Girard était resté en contact avec lui, puisqu'il était la personne qui le connaissait le mieux. Les semaines précédant son départ, Bellevue était « sur le party », lui avait dit l'ancien éducateur.

— Pas d'alcool, pas de drogue, mais on le sentait prêt à prendre son élan. Il allait pouvoir manger tous les gâteaux qu'il voulait, si je puis me permettre une image. Ça nous terrorisait, cet élan. On se demandait comment ça allait se concrétiser.

Une semaine avant le départ, avait ajouté Girard, il avait rendu une dernière visite à Bellevue dans son unité. Une initiative personnelle. Il n'avait parlé de son intention à aucun de ses collègues. Ils s'étaient vus dans la chambre du jeune. Lui, assis sur une chaise. Bellevue avait pris place sur son lit.

— J'avais toujours fait office de surmoi, en quelque sorte, pour Stéphane. C'était moi qui lui disais quoi faire, quoi ne pas faire, qui faisais les listes d'avertissements, d'interdictions. Ce jour-là, dans sa chambre, j'ai clairement dépassé mon rôle d'éducateur. J'ai décidé de lui faire peur. Je me souviens d'avoir sacré. Je lui ai dit : « Écoute-moi, tabarnak. Si jamais je te vois la face dans le journal, je te trouve. » Ça l'a déculotté. Ce n'était plus l'éducateur qui parlait. C'était quelqu'un d'autre. J'ai voulu le saisir, vous comprenez ?

— Et après sa sortie, ça a fonctionné ?

— Pendant deux ans, à peu près. À cette époque-là, il m'appelait deux ou trois fois l'an. Il me racontait toutes sortes d'affaires, et il finissait par me dire : « Tu m'as pas vu dans le journal, hein ? » Une fois, je suis même allé le voir. Il vivait dans un demi-sous-sol avec deux livres de baloney dans son frigo. Il s'était déjà fait arrêter, évidemment, mais c'était essentiellement pour des vols. Pas d'agression contre la personne.

Entre sa sortie du centre et l'arrestation de Bellevue pour le meurtre du petit Labrie, il s'était écoulé neuf ans, calcula Marie devant le plumitif. De ces neuf ans, Bellevue en avait passé un total de cinq en prison. Sa dernière condamnation avant le meurtre concernait un vol par effraction. Il avait écopé d'une peine d'un an.

Deux mois plus tard, il comparaissait devant la Commission des libérations conditionnelles. Les commissaires n'avaient jamais lu les rapports produits par les criminologues des pénitenciers fédéraux, qui concluaient clairement que Bellevue était un délinquant sexuel en puissance. La permission de sortie lui avait été accordée. Six mois plus tard, Sébastien Labrie était mort.

Mais même sans cette libération précoce, Bellevue se serait retrouvé à l'air libre après un an de prison au maximum, se dit Marie. Une bombe à retardement, lâchée dans la nature.

23

Huitième mois

Jade avait la bouche sèche. Sa langue était comme du papier sablé.

Elle allait revoir Juju. Ici, dans quelques minutes.

Elle était dans une salle de jeux, un local aménagé pour les visites supervisées dans un point de service de la DPJ. Au fond du local, il y avait un grand miroir, qui masquait une vitre sans tain. Derrière la vitre, Jade savait que Pascale Daudelin allait les observer, sa fille et elle.

La porte s'ouvrit. Juju entra. Jade la dévora des yeux. Mais elle ne fit pas un mouvement.

Pascale l'avait bien avertie.

— Votre fille ne vous connaît plus, Jade. Vous êtes une étrangère pour elle. Vous ne pouvez pas vous attendre à ce qu'elle vous saute dans les bras. Si vous voulez que ça fonctionne, il faut être patiente, l'approcher tranquillement.

Jade prit son courage à deux mains.

— Salut, dit-elle. Tu veux t'asseoir ?

La fillette obtempéra.

— C'est quoi, déjà, ton nom? demanda-t-elle.

La question eut l'effet d'un coup de poignard sur Jade.

— Jade. Et toi, c'est Juju.

— Justine. Je m'appelle Justine, corrigea la fillette.

— Quand tu habitais avec moi, je t'appelais Juju, dit doucement Jade.

— Je m'en souviens pas, dit la fillette.

C'était dur, se dit Jade. Vraiment dur.

— Tu sais qui je suis, Justine?

— Il paraît que t'es ma mère.

— C'est dur à croire?

— Oui, admit la fillette. Je me souviens pas de toi.

— C'est parce que tu étais petite quand tu es partie.

— Pourquoi je suis partie?

— Parce que j'avais… des problèmes, dit Jade. C'était mieux que tu ailles vivre ailleurs. Tu es bien, dans ta famille?

Le visage de la petite s'éclaira.

— J'ai eu un vélo, la semaine dernière. Je suis super bonne en vélo. J'ai ôté mes petites roues quand j'avais juste cinq ans. Mes frères disent que je suis super bonne.

— Comment ils s'appellent, tes frères? demanda Jade d'une toute petite voix.

— Émile et Jules. C'est des jumeaux. Ils ont dix ans.

— Et ta… maman? dit Jade en butant sur le mot.

— Ma maman, elle s'appelle Lise. Comment j'étais, quand je vivais avec toi? As-tu des photos?

Jade n'avait rien à montrer à sa fille. Pas une photo, pas un objet n'avait traversé ces trois années.

Mais il y avait les souvenirs. Ils étaient bien vivants dans sa tête.

— Tu aimais *Dora l'exploratrice,* dit Jade. On avait des DVD. Tu écoutais tout le temps ça.

La fillette sourit.

— Oui, c'est vrai, j'aimais ça, *Dora.* À la maternelle, j'avais un coffre à crayons de Dora l'exploratrice. Il était rose.

— Tu aimais sauter sur ton lit.

— Ça, j'ai pas le droit. Lise veut pas.

La petite regarda le ventre de Jade.

— Tu vas avoir un bébé ?

— Oui, dans pas longtemps.

— Est-ce qu'il va partir lui aussi à cause des problèmes ?

Un autre coup de poignard.

— Non, je crois pas. Mes problèmes sont finis, je pense.

— Ah, fit la petite.

Elle regarda autour d'elle.

— Il y a beaucoup de jeux, ici. On pourrait jouer à un jeu de société ? J'aime ça, les jeux de société.

— O.K., dit Jade. À quoi tu veux jouer ?

La petite fouillait déjà dans les armoires.

— Opération ! Ça, c'est drôle ! Je l'ai chez nous !

Elle installa le jeu.

Le bébé donna un solide coup de pied à Jade. Elle sursauta.

— Ça va ? demanda la petite. T'as l'air drôle.

— Le bébé donne des coups de pied.

La petite regarda son ventre avec intérêt.

— Tu veux toucher? Il continue.

Faites qu'elle dise oui, faites qu'elle dise oui, se dit Jade.

— O.K., fit la petite.

Elle approcha lentement et posa sa main sur le ventre de Jade. Nouveau coup de pied.

— Je l'ai senti! dit-elle triomphalement.

Juju était toute proche. Jade pouvait sentir son odeur de savon, voir les petits cheveux qui s'échappaient des barrettes. Elle se retint pour ne pas la serrer à l'étouffer.

Elle leva prudemment une main et lui caressa les cheveux. La petite gardait la main sur son ventre.

— Le bébé, c'est un garçon ou une fille?

— Une fille, dit Jade.

Justine reprit sa place de l'autre côté de la table.

— Est-ce que ça va être ma sœur même si j'habite plus avec toi?

— Oui, dit Jade. Je viendrai te visiter avec elle.

De l'autre côté de la vitre, Pascale Daudelin était satisfaite. La mère avait très bien réagi à cette rencontre. Elle avait réussi à se contenir, pour éviter d'effaroucher la fillette. Il pourrait y avoir d'autres visites.

Pascale espérait avec ce cas-ci en arriver à ce qui ne se réussit pas souvent: une cohabitation harmonieuse entre une famille d'accueil et un parent biologique. La plupart des familles d'accueil étaient réfractaires à la création d'un lien avec un parent naturel. Ils voyaient cet autre parent comme une menace. Menace qui était d'ailleurs réelle puisque, dans certains cas, le parent biologique tentait de détacher l'enfant de ses parents d'adoption pour le ramener vers lui. Et la personne qui souffrait de ce conflit, c'était évidemment l'enfant. Déchiré entre deux loyautés.

Mais Jade avait montré avec cette rencontre qu'elle était capable de mettre ses sentiments de côté pour évoquer la famille d'accueil. Elle était même parvenue à employer le mot *maman* pour désigner la mère d'accueil. C'était un symbole important. Et Pascale était persuadée que la famille compatirait au sort de Jade. C'étaient des gens généreux. Ils l'accepteraient dans leur cercle.

Elle s'assit pour regarder la mère et la fille jouer.

Elle repensa au dossier de Jade. On avait fait une erreur, à l'époque, estimait Pascale. La mère aurait dû être aidée, soutenue vers l'abandon des drogues. Lui enlever son enfant n'avait rien réglé pour elle. Au contraire. En lui enlevant Justine, on avait envoyé Jade à l'abattoir.

La travailleuse sociale chargée du cas était jeune, sans expérience, avait noté Pascale à la lecture du dossier. Elle avait probablement jugé la fille du haut de son diplôme universitaire, de sa vie en banlieue et de ses années d'école privée. C'était là tout le problème des services sociaux, se dit Pascale. Le choc culturel entre la clientèle et les intervenants était souvent énorme. À Boucherville, en milieu favorisé, il était impensable d'avoir un frigo vide. Dans Hochelaga-Maisonneuve, ça faisait partie de la vie. Et Pascale avait vite appris qu'un frigo vide ne voulait pas dire nécessairement une famille incompétente.

Pour Justine, le placement avait été globalement positif. Elle s'était retrouvée dans un milieu sain. Elle était assez jeune. On lui avait construit de toutes pièces une nouvelle vie.

Mais où était le mieux? se demandait souvent Pascale. Une nouvelle vie dans un milieu idéal, ou une vie bancale avec la mère qui nous a mis au monde? C'était là son dilemme quotidien. Contrairement à bien des travailleurs sociaux, Pascale avait choisi son camp. Elle affichait un préjugé net en faveur des parents naturels.

Par expérience, elle savait qu'un fossé culturel tout aussi important séparait les familles biologiques des familles d'accueil, qui se manifestait souvent dans de tout petits gestes du quotidien. L'alimentation. Le rapport à l'école. La façon de s'adresser aux autres.

L'un de ses premiers cas avait été celui d'un enfant maltraité. Un petit garçon. À son départ de chez lui, il avait les cheveux longs. L'un des premiers gestes des parents d'accueil avait été de lui couper les cheveux très court. On lui avait également fait voir un optométriste. Il avait besoin de lunettes.

— Vous lui avez coupé les cheveux!

Ça avait été le premier commentaire de la mère lors de la visite initiale à son fils. Elle avait laissé partir un enfant aux cheveux longs, qui suivait la mode des petits délinquants d'Hochelaga-Maisonneuve. Elle revoyait maintenant un petit garçon à lunettes et aux cheveux en brosse. Elle ne reconnaissait plus son fils. Il faisait partie d'un autre monde. Le contact ne s'était plus jamais refait.

C'est pour cela que Pascale avait accepté de travailler à la clinique des mères toxicomanes. Dans le but de les aider à conserver la garde de leur enfant. Et ça marchait, dans bien des cas. Jade serait sûrement l'un d'eux, se dit-elle.

Elle regarda son dossier. Elle s'était mis une note. C'est vrai, le grand frère.

Elle avait appelé chez l'éditeur, Scherzo. Louis Hétu n'y travaillait plus. On lui avait dit qu'il avait déménagé à Montréal, sans plus de précisions. Comme Jade ne voulait pas qu'elle contacte ses parents, la tâche était plus complexe. Elle allait devoir recourir à la bonne vieille méthode du 411. Hétu, Louis, à Montréal. En espérant qu'il habite bien l'île…

Des heures de plaisir en perspective, se dit-elle.

24

Les Liaisons dangereuses,
Pierre Choderlos de Laclos

Ça faisait bien une semaine qu'il n'avait pas vu Marie. Il savait qu'elle travaillait sur un gros truc, une histoire qui s'était passée il y a longtemps. Elle devait voyager souvent en auto, vers les Laurentides, s'il se souvenait bien.

Il lisait, bien installé dans son sofa crème. La clochette de l'entrée tinta. C'était elle. Il soupira de plaisir. Enfin. Il avait eu peur d'être allé trop vite.

Elle poussa la porte du STOP. Il vit tout de suite que quelque chose n'allait pas. Elle se laissa tomber sur le sofa et appuya sa tête contre son épaule.

Elle pleurait.

Il la prit dans ses bras.

— C'est dur, ce truc, dit-elle. C'est trop dur, je pense.

— Raconte. Ça va te faire du bien.

Elle lui parla de Sébastien Labrie et de Stéphane Bellevue. Elle lui parla de la mère, du psychoéducateur, de l'éducateur. De l'orphelinat perdu dans la campagne et de l'affiche aux carrés de couleur. Elle lui parla de ses craintes et de ses doutes.

— Quel gâchis, dit-il. Quel gâchis. Et tu vas écrire tout ça ?

— Oui. Je ne sais pas encore comment, mais oui.

*　　*　　*

Le lendemain, elle n'était plus là. Il y avait seulement une lettre.

J'ai peur. J'ai peur de toi, j'ai peur de nous. Chaque fois que je pense à toi, je suis déchirée. Je t'aime. Enfin, je pense que je t'aime. Mais en même temps, j'ai juste envie de partir en courant. Aimer, pour moi, c'est un gros risque. Tu ne le sais pas, mais tu es ma première vraie relation dans la vie. J'ai eu un amant, il y a longtemps. Je l'ai aimé. J'ai voulu reprendre avec lui, des années plus tard. Ça n'a pas marché, évidemment. Je baise toujours avec des gars d'un soir. Jamais d'attaches. J'ai voulu essayer, avec toi. Mais j'ai peur. À part mes parents et ma sœur, je n'ai jamais aimé personne… Je ne sais pas si je pourrai le supporter.

*　　*　　*

En revenant de travailler, le soir, elle avait buté sur un livre, dans l'entrée. Le bouquin avait été inséré dans la boîte aux lettres de sa porte. *Les Liaisons dangereuses*, de Laclos. Elle sourit.

Insérée à la première page, il y avait une enveloppe.

Je t'aime. Je n'ai rien d'autre à dire. Il y a une histoire à raconter ici ; à toi de voir si tu désires le faire. On peut s'écrire, si tu veux.

Deux jours plus tard, elle était entrée dans la librairie. Il y avait du monde. Elle ne lui avait pas dit un mot. Il avait entendu la machine à écrire crépiter.

Plus tard, il était allé voir.

Il n'y avait que quelques mots, bien en évidence sur le babillard.

D'accord. On s'écrit.

III

Naissances

1

L'ogre – 1987

1er août

Le vieil homme arrosait les fleurs sur le terrain de son voisin. Il était parti la veille pour un voyage d'une semaine. Un congrès, à ce que le vieux avait compris. Le voisin lui avait demandé de s'occuper des fleurs pendant ces quelques jours. L'été était chaud, elles avaient déjà besoin d'eau.

Un bon monsieur, ce voisin, pensa le vieux. Il essaya de se souvenir de ce qu'il faisait dans la vie. Il n'était pas professeur, mais il travaillait avec des jeunes. Des jeunes qui avaient l'air d'avoir des problèmes.

En tout cas, si jamais sa job foirait, il pourrait toujours se recycler dans le paysagement, se dit le vieux en regardant les plates-bandes luxuriantes.

— La maison de Marcel Dion, c'est ici?

Le vieil homme sursauta. Il ne l'avait pas vu venir, celui-là. Tout un costaud, se dit-il en regardant l'homme.

— Oui. Pourquoi?

Il était méfiant. C'était peut-être un voleur qui faisait du repérage.

— Est-ce qu'il est là ?

— Pas pour l'instant. Mais il devrait revenir dans pas long, mentit-il.

À sa grande surprise, l'homme s'assit sur le perron.

— Je vais l'attendre.

Le vieux continua d'arroser, tenant le costaud à l'œil.

Après vingt minutes, l'autre se leva.

— Je vais lui laisser un mot. Pouvez-vous lui dire que Stéphane Bellevue est passé ?

— Je lui fais le message.

Le costaud sortit un papier et un crayon de sa poche arrière et rédigea une note en s'appuyant sur le mur. Il la coinça tant bien que mal dans le cadre de porte.

Le vieux fut soulagé de le voir partir. Il avait fini d'arroser. Il roula le tuyau.

Il ne vit pas le coup de vent emporter la note. Elle échoua sur le bord du trottoir.

Le lendemain, un orage détrempa le papier et fit couler l'encre. On ne pouvait plus distinguer le numéro de téléphone, pas plus que le message, rédigé en lettres capitales tracées maladroitement.

APÈLE-MOI.

*　　*　　*

5 août

Marcel Dion rêvassait. Dernier atelier, dernier jour de congrès : disons qu'on n'avait pas gardé le meilleur pour la fin, se dit-il, ces conférenciers étaient d'un ennui mortel. La vibration de son téléavertisseur le fit sursauter. Il sortit rapidement et contacta le centre à l'aide d'un téléphone payant.

— J'ai reçu un appel pour vous. Ça semble urgent, c'est pour ça que je vous dérange. C'est un ancien bénéficiaire, dit la réceptionniste.

Éric Plante. Ça faisait au moins trois ans qu'il ne lui avait pas parlé. Aux dernières nouvelles, sa vie allait bien. Il monta à sa chambre pour appeler le jeune. Il constata rapidement que son ancien protégé était bouleversé.

— As-tu regardé la télévision ?

— Je suis en plein congrès. Pas ouvert de télé depuis des jours, répondit Dion.

— Stéphane est passé à la télé. Il y a un jeune qui est disparu. Il participe à la battue. Marcel, c'est sûr que c'est lui. C'est lui qui l'a tué.

Dion était cloué sur place. Incapable d'articuler un son.

— Marcel, est-ce que je suis condamné à ça, moi aussi ? J'ai le même passé que Stéphane. J'ai vécu les mêmes affaires que lui. Est-ce que moi aussi, je vais finir de même ? Comme un meurtrier ?

Éric Plante pleurait au bout du fil.

— Vous avez vécu beaucoup de choses difficiles, mais vous étiez très différents, Éric. Regarde-toi aujourd'hui. Tu es toujours avec ta femme ?

L'autre acquiesça.

— Ça va bien, avec ton fils ?

— Oui. Ma femme est enceinte. On va en avoir un autre.

— Ta vie va bien, Éric. Tu as réussi à te sortir de tout ça. Stéphane… il n'a peut-être rien à voir avec le jeune qui est disparu.

Son ton était mal assuré, constata-t-il.

— Marcel, c'est sûr que c'est lui. Tu te souviens comme il était menteur ?

Éric hésita.

— Y a une autre chose. Le jeune qu'ils recherchent… il me ressemble, quand j'étais jeune. Il me ressemble beaucoup.

Marcel Dion se laissa choir sur son lit. Il empoigna la télécommande, alluma la télé. C'était l'heure du bulletin de nouvelles.

Le visage de Sébastien Labrie apparut à l'écran.

*　*　*

5 août 1987

Jacques Girard bouclait sa valise. Enfin terminé, ce satané congrès. C'était vraiment un pensum annuel. La seule partie agréable avait été les soupers avec les collègues, qui s'étaient parfois prolongés jusque dans un bar.

À propos de bar, c'est justement l'heure de l'apéro, se dit-il. Il ouvrit le minibar de sa chambre et décapsula une bière. Il s'assit dans le seul fauteuil de la pièce, les deux pieds sur le lit, et alluma la télé.

Il eut l'impression que le monde entier s'arrêtait quand il vit apparaître le visage de Stéphane Bellevue.

Un garçon disparu. Bellevue qui participait à la battue. Qui disait avoir vu le jeune la veille. Jacques Girard était tétanisé.

C'est lui, pensa-t-il.

C'est lui.

Il prit le téléphone, appela la ligne d'urgence de la Sûreté du Québec. Il leur dit tout ce qu'il savait.

Puis, il se cacha le visage dans les mains. Et il pleura.

*   *   *

9 octobre 1987

Rapport postsentence

> *Rédigé par Philippe Champlain, criminologue, Ph. D.*
>
> *Bellevue, Stéphane*
>
> *Sexe : homme*
>
> *Citoyenneté : canadienne*
>
> *Langue maternelle : français*
>
> *Peine : 25 ans fermes*
>
> *Potentiel de réinsertion : faible*
>
> *La version de Stéphane Bellevue demeure floue quant aux dates et aux heures de cette fin de journée avant, pendant et après le crime.*
>
> *Il allègue toutefois qu'à Sainte-Sophie, en date du 4 août 1987, alors qu'il s'était trouvé un emploi comme superviseur d'une équipe de jeunes garçons dans la cueillette de tomates en serres, il a fait la rencontre du jeune Sébastien Labrie, âgé de 13 ans.*
>
> *Bellevue dit que le jeune Labrie lui rappelait quelqu'un, il y a de cela très longtemps.*

Même corps, même finesse du visage. Il n'en dit pas plus.

Vers 18 heures, Bellevue et sa victime descendent de l'autobus au même endroit. Arrivé chez lui, Bellevue invite le jeune à manger quelque chose. Le jeune Labrie appelle sa mère pour l'avertir qu'il aura du retard. Bellevue et lui partagent un gâteau. Puis, Bellevue propose au jeune Labrie de le raccompagner chez lui à pied. La résidence du jeune est accessible plus rapidement par un sentier qui coupe à travers bois, affirme Bellevue. Ils l'empruntent.

Chemin faisant, Bellevue lui montre une clairière qui fait office de dépotoir non officiel. Se retrouvent là divers objets, dont une roulotte désaffectée. Bellevue dit à la victime qu'il veut lui montrer quelque chose dans la roulotte, où il est déjà allé par le passé. Ils entrent tous les deux. C'est à ce moment précis que Bellevue dit avoir été submergé par des envies sexuelles.

*   *   *

9 août 1987
Sûreté du Québec
  Rapport officiel – scène de crime
  Agent Richard Gauthier
  Jeudi 4 août 1987, à Sainte-Sophie, la victime âgée de 13 ans, de sexe masculin, est aperçue en compagnie de Stéphane Bellevue à leur descente de l'autobus après une journée passée à travailler aux serres de tomates.
  La victime a averti sa mère qu'elle aurait du retard parce qu'elle se rendait chez une connaissance.

Le lendemain, étant sans nouvelles de son fils, la mère communique avec la police. L'idée d'une fugue est d'abord retenue. Des témoins rapportent qu'ils ont vu Bellevue descendre de l'autobus avec la victime. Bellevue participe à la battue, jurant qu'ils se sont quittés au carrefour.

Les environs sont passés au peigne fin. Maîtres-chiens et hélicoptère sont mis à contribution.

Cinq jours plus tard, deux ouvriers découvrent le corps dans un état de putréfaction avancée. Le secteur est rapidement protégé.

En peu de temps, le principal suspect est arrêté : Stéphane Bellevue. Dans la nuit du 9 août, il finit par avouer le meurtre.

Selon l'expertise du médecin légiste, le décès a été causé par suffocation, coups et blessures.

Bien que Bellevue avoue avoir agressé sexuellement sa victime, le laboratoire de criminalistique ne pourra en déterminer la véracité compte tenu de l'état du cadavre.

*   *   *

9 octobre 1987
Rapport postsentence
Rédigé par Philippe Champlain, criminologue, Ph. D.

Il est à noter que le sujet fait actuellement l'objet d'interrogatoires de la part de plusieurs corps policiers quant à la disparition d'enfants des deux sexes.

Aucun autre commentaire ne peut être avancé au stade actuel, mais selon moi, Stéphane Bellevue a la capacité d'intégrer dans ses fantasmes des scénarios de meurtres qui se sont réellement passés et de les faire siens après s'être alimenté de détails rapportés par les médias. Bref, Bellevue est engagé dans une quête désespérée d'attention.

*   *   *

11 novembre
Notes du Dr Fernand Légaré, psychiatre
J'ai rencontré Stéphane Bellevue en prison peu après l'établissement de sa sentence. Lorsque je lui ai demandé de raconter les actes qui l'ont mené en prison, il s'est assis confortablement et s'est allongé les jambes jusque sur le rebord de la vitre qui nous séparait. Il était clair pour moi qu'il prenait plaisir à ce récit.

Il a raconté son crime dans les moindres détails, sans remords apparent. Manifestement, il avait joui de la souffrance infligée à la victime et il en jouissait encore. Pendant son récit, j'avoue avoir eu du mal à garder une distance professionnelle adéquate. J'ai lutté pour ne pas être envahi par la colère, la rage. J'ai dû l'interrompre pour prendre une pause, prétextant le besoin d'aller aux toilettes.

Mon impression : c'est l'un des pires pervers que j'ai vus en quinze ans de carrière. S'il en avait l'occasion, il lui serait difficile de s'empêcher de récidiver.

À travers le récit de son crime et des mois qui l'ont précédé, Bellevue a souvent évoqué son lourd historique social. Il se servait des éléments traumatiques de ce passé pour excuser ses actes criminels. Il n'assumait aucunement la responsabilité de son crime. Bref, il semble porteur d'une vengeance qui ne s'assouvira jamais.

2

Louis

Louis n'avait jamais eu de cellulaire. Il était allergique à ce genre de bidules : il détestait se faire déranger par le son envahissant du téléphone. Mais pour la première fois de sa vie, il regrettait de ne pas bénéficier de l'accès en tout temps à ses courriels. Marie lui écrirait-elle ?

Il attendait.

Un soir, il vit son nom dans sa boîte de réception.

À : Louis Hétu
Date : 10 octobre 2012
De : Marie Dumais
Louis,

Je n'ai jamais su c'était quoi, être une fille. Une fille, c'est censé savoir plein de choses. Comment se mettre de l'eye-liner, par exemple. Je voyais toutes ces filles au bureau avec un trait sûr d'eye-liner sur la paupière supérieure, et je me suis dit : j'essaye. J'ai essayé. Un désastre. Un trait tout croche, tremblotant. Mais comment est-ce qu'elles font ? Qui leur a montré ça ? Je me suis rabattue sur le mascara. Plus sûr.

Une fille, ça sait où trouver les bons vêtements, ceux qui sont tendance et qui lui vont bien. C'est censé avoir une esthéticienne et un coiffeur, voir une pédicure régulièrement. Ça sait comment utiliser un fer plat, c'est censé savoir la différence entre des mèches et un balayage.

Moi, je ne saurais pas quoi demander chez une esthéticienne, j'ignore totalement les règles de base de la coiffure et, surtout, je n'ai jamais su comment m'habiller. J'entre dans un magasin, je touche tous les vêtements, je n'en aime aucun. J'en essaie, parfois. J'ai toujours l'impression qu'ils ne sont pas pour moi. Trop grands, trop petits, trop ajustés. Quand je trouve un pantalon confortable, j'en achète trois. Comme ça, je n'aurai plus besoin de magasiner pendant un bout de temps. Les jupes, on oublie ça.

La seule affaire des filles qui me convient, ce sont les pharmacies. J'aime aller dans les pharmacies. Je regarde longtemps les pots de crème. Antirides, fermeté, désincrustantes, ultrariches. Je n'en achète jamais. Mais j'achète beaucoup de bains moussants chers. Des rasoirs avec barres-de-gel-à-fragrance-d'orchidée-hawaïenne. Quand je passe ça sur mes jambes, c'est doux, c'est lisse, c'est soyeux. C'est le seul moment de ma vie où j'ai vraiment l'impression d'être une fille. Ça, et quand je magasine les parfums. Il n'y a rien que j'aime mieux que d'aller passer deux heures à sentir des parfums chez Holt Renfrew. Je détonne là comme ce n'est pas possible, mais puisque je finis toujours par acheter, les dames sont bien gentilles avec moi.

C'est bizarre, tu sais, de grandir dans une communauté à laquelle on ne se sent pas appartenir. Petite, j'étais plutôt gars. Je courais dans le bois. Je me salissais. Il fallait que ma mère se batte avec moi pour me faire mettre une robe. Je me souviens d'une particulièrement : une grise, en velours. Mon Dieu que ma mère l'aimait, celle-là. Je l'ai mise juste une fois, à Noël. Dans l'année qui a suivi, toutes les autres fois qu'on est allés en visite quelque part, ma mère me disait : « Mets donc ta belle robe grise. » Et moi, je ne voulais pas. Je me demande où elle est allée, la robe grise. Sûrement sur le dos d'une autre petite fille, une vraie, celle-là.

Donc, je suis en quelque sorte devenue un gars. Je suis toujours en pantalon. Je suis capable de faire des jokes de cul. Je sacre comme un gars. Je suis capable de mettre mon poing sur la table, d'affronter, d'engueuler. Ça choque, mais je m'en fous un peu.

À : Marie Dumais
Date : 11 octobre 2012
De : Louis Hétu
Marie,

Je n'ai jamais aimé mon père. C'est triste, pour un gars, de ne pas aimer son père. C'était un homme froid, pris dans un pain, qui avait été curé pendant dix ans. L'église l'avait transformé en bloc de glace. Il ne savait pas trop quoi faire avec une femme, d'ailleurs je n'ai jamais compris ce que ma mère lui avait trouvé. Il était différent, avant, qu'elle m'a dit. Il avait l'air d'un homme décidé, fonceur, plein de ressources. En fait, il n'était rien de tout cela. Ma mère l'a compris deux semaines après son mariage, quand il a fait une crise parce qu'elle voulait aller à la messe en robe soleil. Ce jour-là, elle a rencontré Mr Hyde. Le gars straight, qui lisait des psaumes dans un petit livre noir dans ses temps libres. Un jour, il a oublié le livre de psaumes sur le toit de la voiture. Disparu. Qu'est-ce qu'on était contents, ma mère, ma sœur et moi.

Bref. Il a fait des enfants par devoir. Parce qu'évidemment, pour un ancien curé, la sexualité sert à la reproduction. Ma mère m'a raconté un jour qu'elle avait pris des contraceptifs, en cachette, entre moi et ma sœur, pour ne pas tomber enceinte tout de suite. Ma petite sœur, c'était un accident.

Avec nous, les deux premiers, il a été sévère. Il ne laissait rien passer. Il fallait avoir de bonnes notes à l'école, faire du sport, être discipliné et tout. Avec Jade, il s'était ramolli. Il l'aimait tellement, sa petite dernière. C'était sa grande fierté.

C'est pour cette raison qu'il a réagi si fort quand elle a mal tourné. Il s'est senti trahi.

Moi, je n'ai jamais eu de complicité avec lui. Jamais eu de conversation personnelle. Il faut dire qu'il était perdu dans son monde, mon père. Après être sorti de l'église, après avoir été excommunié parce qu'il voulait se marier, il est devenu ésotérique. Il a passé les dernières années de sa vie à traduire un médium anglais qui avait rédigé plusieurs volumes remplis de ses révélations. Il a écrit cela à la main, bien serré sur des feuilles quadrillées, a percé des trous dans les feuilles et a relié ces montagnes de feuilles dans des cartables. Il n'a jamais fait une tentative auprès d'un éditeur pour faire publier ses traductions. Jamais.

Quand j'allais chez d'autres enfants et que je voyais leurs pères, mon Dieu que je les enviais. Moi, mon père, il n'était pas présentable. Toujours tout croche, asocial, il avait seulement deux sujets de conversation : la musique classique et le damné ésotérisme. Aucun lien avec le monde moderne et réel.

Pourtant, il m'a légué quelque chose : l'ordre et la discipline de travail. C'est lui aussi qui m'a acheté mon premier livre. Ce n'est pas rien pour quelqu'un qui est devenu libraire. C'était un *Tintin. Objectif Lune.* J'étais en deuxième année. Je me souviens de lui avoir demandé ce que ça voulait dire, *objectif.* Il m'avait dit : « C'est un but. » J'avais compris que c'était un but comme au hockey. J'avais pensé que dans le livre ils allaient poser un but sur la Lune. J'avais bien aimé l'idée. J'ai bien aimé le livre aussi, même s'il n'y avait pas beaucoup de hockey là-dedans. Il m'a acheté toute la collection des *Tintin.* Je l'ai encore. Son préféré, c'était *Tintin au Tibet.* Je crois bien que c'était mon préféré aussi. Tintin, qui risque sa vie pour sauver un ami. Curieux, quand même, de la part d'un homme qui n'a jamais vraiment eu d'amis.

Quand il est mort, on n'était pas là. On est tous arrivés trop tard. Il était couché dans son lit d'hôpital, la bouche entrouverte. Je me suis senti coupable longtemps de ne pas avoir été là. Il est mort seul, tu comprends. Ma mère non plus n'était pas là. Donc, quand il est mort, il n'y avait personne. Tout seul comme un chien, que ma mère a dit en pleurant.

En même temps, c'était un peu normal qu'il soit tout seul. Il a toujours été tout seul. Dans une assemblée de personnes, il était tout seul. Chez nous, il était tout seul. Personne ne l'a jamais saisi, personne ne l'a jamais compris. Il n'a jamais fait d'effort non plus pour être compris.

On ne l'a pas exposé, parce qu'il ne le voulait pas. On l'a enterré au cimetière. Je ne suis jamais allé sur sa tombe. Pourquoi y serais-je allé ? Parfois, je me demande s'il a vraiment existé.

À : Louis Hétu
Date : 12 octobre 2012
De : Marie Dumais
Louis,

J'ai toujours peur de me perdre. La plus belle trouvaille des dernières années, pour moi, c'est la petite boule bleue du GPS qui montre ta voiture sur la route. Cette petite boule bleue, elle me rassure. Je sais où je suis.

Si seulement il y avait une petite boule bleue semblable pour nous dire où on en est dans la vie. Ce serait l'invention du siècle, non ? Attention, vous avez pris le mauvais chemin avec ce mariage, veuillez faire demi-tour. Ce choix de cours était inadéquat pour votre avenir, veuillez faire demi-tour. Vous êtes une petite fille et un homme vous demande de l'aider à trouver son chien ? Veuillez faire demi-tour.

Mais il n'y en a pas, de boule bleue. Alors moi, je suis prise avec une autre boule, celle qui me serre l'estomac. Elle est toujours là. J'ai constamment peur, même face aux plus petits événements de la vie. Ma sœur ne m'a pas appelée depuis deux jours, mon Dieu, et s'il lui était arrivé quelque chose ? Mon chien boite un peu, et s'il avait une blessure grave ? À chaque article que je lis sur une maladie, je m'en découvre tous les symptômes. Chaque fois qu'une catastrophe arrive quelque part dans le monde, j'ajoute un malheur possible à ma liste.

Dans la vie, j'ai eu beaucoup de malchance, et aussi beaucoup de chance. Donc, je ne sais jamais de quel côté la pièce va tomber le prochain coup.

À : Marie Dumais
Date : 13 octobre 2012
De : Louis Hétu
Marie,

Je t'ai parlé de mon père qui n'existait pas. Ma mère, c'était le contraire. Elle venait du Bas-du-Fleuve, d'un petit village perdu entre la frontière du Nouveau-Brunswick et le lac Témiscouata. Attention, pas le Bas-du-Fleuve des cartes postales. Le Bas perdu dans le bois. Quand ma mère était jeune, ils étaient pauvres comme Job, mon grand-père allait bûcher du bois l'hiver, sa femme se débrouillait comme elle pouvait avec douze enfants. Ma mère était la septième, la mère de la deuxième famille, comme elle dit. La mère des petits.

Il faisait froid l'hiver, dans le Bas. Ma mère disait toujours la même chose quand elle racontait son enfance :

l'hiver, il fallait casser la glace dans le puits pour prendre de l'eau. Ça l'a endurcie. Elle est devenue un roc.

L'autre chose qu'elle a gardée de son enfance, c'est un solide dégoût pour l'ennui. Maudit qu'on s'ennuyait, qu'elle disait tout le temps en racontant son jeune temps. Elle s'est dépêchée de quitter le Bas, elle est entrée au couvent à Québec. Elle est restée cinq ans chez les pisseuses, assez pour voir qu'on s'ennuyait ferme là aussi. Ça lui a pris tout son petit change pour partir : dehors, c'était l'enfer, que les bonnes sœurs disaient. Mais le roc a tenu bon. Elle est sortie, elle a refait sa vie comme prof.

C'était quelque chose, pour moi, le Bas. On n'y allait quasiment jamais, je soupçonne que ma mère détestait revivre son enfance. En même temps, elle et mes oncles et tantes qui habitaient à Québec faisaient revivre tout ça chaque fois qu'ils se rencontraient. Pis, comment va Ti-Pit ? Imagine-toi donc qu'Annette est morte. Pis Solange, toujours aussi folle ? Et mémère Ouellet, qui reconnaît plus ses petits-enfants… Il y avait ça, et il y avait les histoires. Les histoires sont mon plus beau souvenir d'enfance. C'est Noël, mon oncle Wilfrid joue du violon – toujours les mêmes chansons, ce n'est pas grave, on les aime – et ma tante raconte des histoires du Bas. Tailleur Pelletier, qui aimait les petits gars et qui, figure-toi donc – elle baissait toujours la voix à ce moment-là –, se maquillait le pénis. Rodolphe Chartrand, le père indigne, qui avait coulé son bébé infirme dans le ciment de son perron. Et la femme à Bert (ça, c'était la préférée de mon oncle Émilien), qui pouvait s'asseoir sans peine sur une bouteille de bière.

Ces histoires ont été le début de la littérature pour moi.

À : Louis Hétu
Date : 14 octobre 2012
De : Marie Dumais
Louis,

J'aime les drames. Une bonne histoire triste, dramatique, avec quelques moments franchement horribles, voilà mon genre d'histoire. Les collègues me demandent souvent pourquoi je couvre toujours des affaires aussi terribles. Ils me trouvent généreuse, ils pensent que je milite pour la justice sociale.

Et moi, je n'ose pas leur dire que j'aime ça.

J'aime m'immerger dans le drame de quelqu'un. Regarder par la fenêtre d'une vie. M'imaginer la vivre. Ressentir profondément la peur, la rage, la faim, l'injustice. Je peux regarder par cette fenêtre aussi longtemps que je veux, capter tous les petits détails, puis recracher le tout en pleurant sur du papier.

Ensuite, en sortir. Aucun instant n'est plus magnifique que celui-là. L'histoire est vécue, et enregistrée. C'est fini. Et moi, je sors de cette vie que j'ai vécue l'espace de quelques heures, jours, semaines, et je reprends la mienne. Jamais le soleil n'est si chaud, les draps si doux, le café si savoureux que lorsque je reprends ma vie à moi après avoir vécu un autre drame.

Et une fois sortie du trou, le plus difficile reste à faire. Écrire tout ça. Rendre l'émotion. Comment condenser la misère et la détresse dans un coup de poing qui frappera le lecteur au ventre dès les premières lignes. Il faut le frapper au ventre, toujours. Dans le monde frénétique où l'on vit, où les esprits de tous sont sursollicités par mille divertissements, c'est le seul moyen d'être lu, d'être entendu. Un bon coup de poing dans le ventre.

Mais de quelle nature sera ce coup de poing? Parfois, il s'agit d'un simple détail. Je me souviens d'un de mes premiers reportages, sur la pauvreté en Gaspésie. On m'avait parlé du village de Gros-Morne, où l'on vivait dans une misère totale qui rappelait le début du siècle dernier. Disons que c'était un peu exagéré. Mais le village était pauvre. Et devant l'une de ces maisons délabrées, au milieu de ce village misérable, il y avait un petit tricycle rose. Rose vif, avec de petites garnitures collées sur le guidon, qui volent au vent quand on roule. Ce qui était fort dans cette image, c'est que l'enfant n'y était pas. On l'imaginait, simplement. La petite fille, sur son vélo. Qui grandissait dans un taudis. Ne mangeait probablement pas à sa faim vers les fins de mois. Était sousstimulée, dans tous les sens. Ce tricycle résumait à lui seul la malchance de cette fillette, qui avait pigé le mauvais numéro dans la vie. Elle aurait pu naître ailleurs, tu comprends. Elle aurait pu naître dans la famille qui m'a adoptée. Il avait fallu qu'elle naisse à Gros-Morne.

Je me souviens de ce tricycle parce que pour la première fois j'ai eu le sentiment d'écrire, en mettant ce vélo dans l'amorce de mon texte. Il y avait plein de statistiques frappantes, de citations-chocs. Mais j'ai choisi de commencer ce texte avec un vélo rose. Parce que j'avais réussi – et c'était la première fois que ça m'arrivait – à transformer ce vélo rose en un coup de poing dans l'estomac.

Ce tricycle a été le début de l'écriture pour moi.

À : Marie Dumais
Date : 15 octobre 2012
De : Louis Hétu

Marie,

Je t'ai parlé du Bas. Mais il faut aussi que je te parle de Québec. C'est la ville où j'ai grandi. Que j'adore. J'aime Montréal, son fouillis, son côté bohème, sa diversité. J'aime que mon dépanneur (italien) tienne toute une rangée de pâtes, de sauces tomate, et me coupe du parmesan sur son comptoir à l'arrière. J'aime que l'épicier (libanais), de l'autre côté de la rue, ait de l'eau de fleur d'oranger et douze variétés de couscous. J'aime Montréal dans son bordel inachevé sans doute parce que, justement, j'ai été saturé de beauté en vivant à Québec. Après un bref séjour à Limoilou, mes parents ont acheté une petite maison à Sillery, avant que les propriétés deviennent hors de prix. Une petite maison centenaire, avec des poutres apparentes taillées à la hache et deux ailes ajoutées pour accueillir une cuisine moderne et des chambres. Je n'ai jamais eu de plus belle maison. Jamais eu de plus belle vue non plus. À deux pas du fleuve et de son immensité toujours renouvelée.

Plus tard, j'ai eu mon appartement dans le Vieux-Québec, sur la place Royale. Dans les combles, tout en haut, avec des murs en pente et une cuisine ultra-moderne. Mais ma pièce préférée, c'était la salle de bain.

Immense, avec une baignoire sur pattes orientée vers la fenêtre. De ma baignoire, je voyais la falaise surmontée des lumières de la haute-ville, et ce ciel à l'heure bleue, ce ciel de pénombre, qui dure une vingtaine de minutes juste avant que tombe la nuit. Je n'ai jamais retrouvé un tel ciel ailleurs.

La place Royale était bien sûr prise d'assaut par les touristes japonais l'été, mais l'hiver n'était que neige et solitude. À l'extérieur du Petit-Champlain et de son décor de carte postale, pas un chat. De la neige qui recouvrait les vieilles pierres. La messe de minuit à la toute petite église Notre-Dame-des-Victoires, la première église de Québec. J'avais dix pas à faire pour rentrer chez moi. Et je n'avais que quelques minutes à marcher pour me retrouver dans un de mes endroits de prédilection, l'hiver. C'est sur le bord du fleuve, tout au bout de la jetée du Vieux-Port. Là où il y a d'un côté le fleuve et de l'autre le bassin Louise. Exposé aux vents sur les deux côtés, des vents qui ont dansé avec l'eau glaciale pendant de longues minutes. On les reçoit en plein visage comme une barrique d'eau glacée. Quand il fait vraiment froid, ça coupe le souffle. Je me tenais debout sur le bord, comme un gars prêt à sauter. Curieusement, dans les moments difficiles de ma vie, ce carrefour de deux eaux m'a toujours donné du courage.

Sauf une fois. À la fin de cette journée où j'avais essayé tous les numéros de téléphone que je connaissais pour trouver ma sœur. J'avais appelé tous ses amis, la moindre connaissance. Elle n'était nulle part. J'ai fini par essayer l'école de Montréal-Nord où elle avait fait cet échange, j'ai parlé à la directrice. J'avais juste un prénom. Eddy. Elle savait qui c'était. Elle a averti la police. Ils sont allés à l'appartement. Il n'y avait plus personne. Ils s'étaient volatilisés, tous les deux.

Ce soir-là, en pensant à ce qui pouvait lui arriver, à ce qui lui était peut-être déjà arrivé, j'ai failli sauter.

3

L'ogre – 2012

16 octobre 2012
Curieusement, les lieux n'avaient pas changé d'un iota depuis vingt-cinq ans. Ce secteur boisé avait été épargné par les constructions qui surgissaient en l'espace de quelques mois sur à peu près tous les terrains libres des Laurentides. La clairière se trouvait derrière l'ancienne cabane à sucre, lui avait-on dit au village. Elle repassa plusieurs fois devant la cabane sans la voir. Elle était presque invisible, cachée par les branches chargées de feuilles dorées. Marie stationna sa voiture sur le bord de la route.

Tout était encore là, observa-t-elle en explorant le tas de vieilles planches qui avait autrefois été une cabane à sucre. L'antique four à bois, posé sur un socle en briques, la cuve pour faire le sirop, et même un vieux fanal, suspendu à un clou rouillé. Le sentier commençait juste à côté.

Après quelques minutes de marche dans les feuilles fraîchement tombées, elle arriva à la clairière. Un authentique débarras officieux pour le village, se dit-elle en souriant. Il y avait encore des reliques des sucres, des caisses de gros contenants de verre destinés au sirop. Juste à côté, des pneus de tracteur étaient envahis par les fougères. Une porte verte était appuyée sur un arbre, ses carreaux cassés. Un peu plus loin, un antique hors-bord rouge semblait monter la garde.

Au fond de la clairière, sur une butte, la roulotte désaffectée régnait, tel un fantôme, sur cet univers de vieilleries. Marie grimpa sur la petite butte. Elle hésita avant d'entrer, mais la curiosité était plus forte. La porte s'ouvrit facilement, elle n'était pas verrouillée. La roulotte était spacieuse, mais à l'intérieur c'était un véritable capharnaüm. On y avait entassé de vieux coussins fleuris, un couvercle de poubelle émaillé, des pots de verre. Ça sentait le moisi.

Marie sortit. Derrière la caravane, le terrain tombait à pic. Un entrepreneur local avait probablement vu là une occasion de faire tomber des dollars dans son escarcelle. La butte avait été rongée par la machinerie lourde : on avait sans doute voulu amasser de la terre et la revendre. Au bas de ce qui restait de la butte, le paysage était lunaire. Plus un seul arbre. Un champ de pierres grises. Marie descendit par le côté. Elle regarda la butte d'en bas. Les racines des arbres et des plantes, laissées à nu par la recherche de terre, pendouillaient à l'air libre. Roches, terre et feuilles étaient semées dans la pente qui descendait jusqu'à elle.

C'est là que le corps de Sébastien Labrie avait été retrouvé. Bellevue l'avait sommairement dissimulé avec des vêtements et quelques pierres. Marie prit un instant pour écouter le silence, puis remonta la pente.

Elle se dirigea vers le sentier qui menait à la cabane. Elle sursauta quand elle vit l'homme. Il se tenait au milieu du sentier, les jambes écartées, encadré par les cascades de feuilles orangées. Il était entièrement vêtu en habits de camouflage. Il portait une arme dans son dos. À cette distance, elle distinguait mal ce que c'était.

— Bonjour! dit-elle en s'approchant.

L'homme ne répondit rien.

Marie ressentit un léger malaise.

— Bonjour! répéta-t-elle.

Toujours rien. Cette fois, elle distinguait l'arme. Une arbalète. Elle aussi recouverte de motifs de camouflage, surmontée de cinq flèches. Au bord du sentier, les fougères formaient des taches rouge vif, précisément la même teinte que l'empennage des flèches.

L'homme était très grand, le visage ravagé par les cicatrices de l'acné. Son regard était dur.

Marie déglutit. Mais pourquoi ne parlait-il pas? Elle se força à continuer son avancée, alors que tout son être lui disait de prendre ses jambes à son cou.

L'homme ouvrit finalement la bouche.

— Vous êtes pas du bout. Qu'est-ce que vous faites ici? dit-il rudement.

— Une promenade, mentit Marie. Et vous? La chasse est déjà commencée?

L'homme la regarda. Il ne la croyait pas.

— Notre cache est juste là, dit-il en montrant les bois. Vous faites du bruit. Les chevreuils vont se sauver.

— Je partais, justement, monsieur…

— Gendron. C'est la terre de ma sœur, ici.

Un second homme sortit de la cache. L'abri était petit et circulaire, recouvert de branches de sapin. Le second chasseur portait lui aussi une arbalète. Son regard était peu avenant.

Marie se sentit soudainement très vulnérable.

— Désolée de vous avoir dérangés. J'espère que la chasse sera bonne.

Marie le dépassa et continua vers sa voiture. Elle se retint pour ne pas courir. La pensée de l'arbalète recouverte de motifs de camouflage ne la quittait pas.

— Vous veniez voir la roulotte, c'est ça? dit l'homme dans son dos. Je suppose que vous êtes comme les autres malades, ça vous excite?

Marie ne répondit pas. En arrivant à sa voiture, elle jeta un coup d'œil dans le sentier. Les deux hommes étaient toujours là. Ils la regardaient, avec un léger sourire aux lèvres.

Ils avaient pris leurs arbalètes. Elles étaient pointées vers le sol.

4

Le bébé

Novembre 2012

Jade rêvait qu'elle poffait.

C'était dur, avec le bébé. Bien plus dur qu'avec Juju. Bien plus dur qu'elle l'aurait cru. La petite pleurait constamment. Elle dormait par à-coups, de nuit comme de jour. Elle avait toujours besoin d'être prise, d'être mise au sein. Jade n'en pouvait plus, par moments.

Nuit après nuit, elle rêvait qu'elle fumait. Elle ressentait alors un ersatz de l'immense bonheur que procurait le crack. Elle était tirée de cette euphorie par les pleurs de la petite. Ça faisait trois mois que ça durait. Elle était épuisée.

Pascale venait la voir. Les premiers temps, elle était venue trois fois par semaine. Elle passait une heure avec elle. Elle lui parlait, l'encourageait. Jade lui en était reconnaissante. Les intervenantes de l'immeuble et les autres filles passaient aussi de temps en temps. Mais bon, personne n'était là pour s'occuper de la petite la nuit. Il fallait qu'elle se débrouille.

L'accouchement s'était bien déroulé. Un peu en avance, mais pas trop. À peine le bébé était-il sorti que, voyant son duvet noir charbon et ses yeux sombres, Jade avait su qui était le père. L'enfant avait été conçu dans une salle de lavage. Elle avait pleuré. Isabelle Tremblay, les mains encore pleines de sang, avait pensé qu'elle pleurait de joie.

Elle lui avait expliqué, plus tard.

La médecin l'avait regardée en silence.

— Si c'est ce que vous préférez, Jade, on peut toujours opter pour l'adoption, avait-elle fini par dire. Il est encore temps de changer d'avis.

Jade avait regardé le bébé. Elle avait tendu le doigt, la petite l'avait agrippé avec son petit poing.

— Non, fit Jade. Je vais être capable. Je veux la garder.

Elle s'était bien occupée de sa fille. Mais elle commençait à peine à avoir l'impression de l'aimer. De toute façon, elle était trop fatiguée pour ressentir quoi que ce soit.

Et au fil des nuits sans sommeil, avec l'hiver qui allait commencer, l'envie de poffer se faisait de plus en plus pressante.

En berçant son bébé, cette nuit-là, Jade se dit qu'elle avait besoin d'aide. Elle pensa fugitivement à Louis. Pascale Daudelin le cherchait. Demain, elle allait parler à la médecin. Elle trouvait toujours une solution. Elle la voyait demain, à l'hôpital Saint-Luc.

*   *   *

Phil haïssait l'hôpital Saint-Luc. L'établissement, où il consultait depuis peu un rhumatologue, était devenu synonyme de douleur dans son esprit. Damnée goutte. Ça lui empoisonnait la vie. À Saint-Luc, le rhumatologue lui avait prescrit une diète : il devait renoncer à l'alcool et à la viande rouge, boire beaucoup d'eau et manger beaucoup de légumes.

Évidemment, il ne la suivait pas. De l'eau ! Des légumes ! Et comment se priver d'une bonne bière ? d'un verre de fort ? Phil avait bu toute sa vie, et ce n'était pas cette satanée goutte qui allait l'en empêcher. Il retournait donc chez le rhumatologue, bien décidé, cette fois, à exiger et à obtenir des médicaments qui endormiraient sa douleur.

Il claqua la porte de son Audi, stationnée sur le boulevard Dorchester. Il n'avait jamais pu s'habituer à dire « René-Lévesque ». Il avait eu toutes les peines du monde à trouver une place de stationnement. Phil pataugea péniblement dans un mélange répugnant d'eau et de feuilles mortes pour se rendre au trottoir.

Et c'est alors qu'il la vit arriver.

Elle entrait à l'hôpital avec une poussette.

Est-ce que c'était bien elle ? Elle était trop loin. Phil n'en était pas certain.

Il se dépêcha. Sa jambe rechigna. Il faillit glisser sur une plaque d'égout.

À l'intérieur, elle attendait l'ascenseur.

Il resta loin, pour ne pas se faire voir. Mais il était

assez près pour en être sûr. C'était bien elle. La porte de l'ascenseur se referma sur Jade et sa fille.

Phil alla à la réception.

— La pédiatrie, madame, c'est à quel étage?

— Au huitième, lui répondit la dame.

Phil prit l'ascenseur pour le huitième. Dans la salle d'attente de la pédiatrie, aucune trace de Jade.

Il regarda sa montre. Encore vingt minutes avant son rendez-vous.

Il redescendit au rez-de-chaussée. Il fit son plus beau sourire à la réceptionniste.

— Dites donc, madame, j'ai rendez-vous avec ma nièce ici. Elle est avec son bébé. Je ne la trouve pas en pédiatrie.

— Est-elle suivie par la clinique des mères toxicomanes? demanda la réceptionniste. C'est au quatrième.

— Oui, ça doit être ça.

Bingo, se dit Phil.

Il alla au quatrième. Jade était là, avec sa poussette. Il se cacha derrière une colonne pour ne pas qu'elle le voie.

Il regarda l'heure. Au diable le rhumatologue, se dit-il. Il redescendit en bas, prit place dans un des fauteuils du hall. Il appela son médecin, prétexta un accident d'auto et attendit, bien dissimulé derrière les pages d'un journal.

Après une heure, Jade reparut. Il la suivit de loin.

S'étant faufilée entre les passants avec sa poussette, elle prit le métro jusqu'à la station Rosemont, puis l'autobus. Prendre l'autobus à sa suite, sans se faire voir, n'avait pas été évident. Jade était allée jusque dans le fond du bus. Lui s'était assis à l'avant. Il descendit un arrêt après elle. Il la vit tourner rue Chabot.

Il courut le plus vite qu'il put. Maudite jambe.

Il arriva juste à temps pour la voir entrer. Le 5334, Chabot. Il nota l'adresse au dos d'une carte professionnelle égarée dans son portefeuille. Ce papier valait de l'or, se dit-il avec un sourire.

∗   ∗   ∗

Le Prof regarda la carte que Phil avait posée devant lui, aux couleurs criardes d'un exterminateur. Une coquerelle semblait se prélasser sur un rideau de velours rouge. Le numéro de l'exterminateur était en jaune.

Le Prof regarda Phil. Il n'avait pas beaucoup de temps pour les devinettes. Il fallait qu'il pense à ses problèmes. Dans les dernières semaines, son écurie s'était délitée. Vanessa avait pris sa retraite, en tout cas c'est ce qu'elle disait. Poulette était partie travailler pour un pimp de Montréal-Nord. Elle avait recruté au passage la petite dernière, la Noire. Elle était bien douée, celle-là. Le Prof suspectait que la jeune avait été le premier paiement de Poulette à son nouveau souteneur.

Restaient donc quelques filles au Matador, mais dans l'ensemble, rien de bien ragoûtant. L'achalandage baissait. Il fallait de la chair fraîche, et vite.

— Qu'est-ce qui se passe, mon Phil ? On a des coquerelles dans la place ?

Les doigts du Prof tambourinaient sur le bureau.

Le vieux avait le sourire du matou qui vient d'avaler un canari, constata-t-il.

— Combien tu serais prêt à payer pour retrouver Jade ? demanda Phil à brûle-pourpoint.

Le Prof plissa les yeux. Jade. Elle était disparue de la circulation depuis un bon bout. Tout ça à cause de la fille de L'Anonyme. Il l'avait foutue dehors après le départ de Jade. Il s'était retenu pour ne pas lui faire passer un mauvais quart d'heure. Dans les circonstances actuelles, retrouver Jade serait une aubaine. Elle était déjà entraînée. Elle rapportait gros.

— Pourquoi tu dis ça ? Tu l'as vue ?

— Je l'ai vue hier. Elle a eu son petit. Elle était à l'hôpital Saint-Luc.

— Pis ?

— Pis je l'ai suivie. J'ai vu où elle reste. Je peux te le dire.

Il tourna la carte, gardant sa paume dessus.

— Mais j'aimerais avoir une petite compensation pour mon trouble.

Vieux crisse, pensa le Prof. Toujours à l'argent. Ou au cul. Tiens, il pouvait peut-être s'en tirer à bon compte.

— Mettons, mon Phil, que je te paye une soirée avec deux belles filles. Deux pétards. Ça ferait ton bonheur ?

Mais Phil n'était pas né de la dernière pluie.

— J'ai des grosses dépenses, ces temps-ci. J'aimerais mieux avoir du cash.

Le Prof soupira. Il sortit une liasse de vingt de sa poche arrière.

— Si jamais tu me mènes en bateau, tu vas en manger une tabarnak.

Le soir même, il se rendit à l'adresse donnée par Phil. Il stationna son camion devant un garage, de l'autre côté de la rue. Il claqua la porte. Un vent aigre soufflait. L'hiver arrive, pensa-t-il. Dieu qu'il haïssait l'hiver. Les affaires au Matador ralentissaient toujours à cette période de l'année. Disons qu'il fallait être pas mal motivé pour venir baiser sur la Sainte-Catherine en plein blizzard, comme la météo le prévoyait pour le lendemain. Une tempête hâtive. Manquait plus que ça, se dit le Prof.

En plus, l'hiver, ça voulait dire remiser la moto. Ça, c'était franchement déprimant. Le Prof n'aimait rien de plus au monde que d'arpenter Montréal sur sa Harley. En chevauchant son engin, il avait l'impression d'être le *king* de la métropole. Sur quatre roues, il devenait un *nobody*. Ça l'enrageait.

L'an dernier, pour lutter contre cet hiver maudit, il s'était acheté un VUS. Un gros Cadillac Escalade noir tout équipé, avec les meilleurs pneus à neige sur le marché. Un monstre. Au volant de son tank, il était capable de vaincre n'importe quel banc de neige.

En ouvrant sa portière, il faillit faucher un cycliste.

— Crisse de fou! l'invectiva-t-il. Le bicycle, c'est pour l'été!

Le cycliste fila sans demander son reste.

Le Prof s'appuya sur son camion et alluma une cigarette. Il attendit.

Il la vit arriver de loin.

Des sacs d'épicerie étaient accrochés à sa poussette.

Il s'arrangea pour ne pas se faire voir. Elle monta au troisième. L'adresse donnée par Phil était la bonne.

Il alla se réchauffer dans un resto, au coin de la rue. Il voulait attendre un peu. Ce genre d'affaires se transigeait mieux en soirée.

Vers vingt-deux heures, il sonna à sa porte.

*　　*　　*

C'était probablement la fille du deuxième qui venait jaser, se dit Jade.

Elle ouvrit. Elle tenta tout de suite de refermer la porte. Mais la surprise lui avait fait perdre un instant de trop. Le Prof était entré.

— Ça fait longtemps qu'on s'est vus, toi pis moi, lui dit-il avec son plus grand sourire.

Jade avait peur, remarqua-t-il avec satisfaction.

— Ton bébé est couché?

Jade ne dit rien. Comment savait-il qu'elle avait gardé le bébé?

Il répondit à sa question muette.

— Je t'ai vue arriver, tantôt, avec ta poussette. Maintenant que tu es mère de famille, tu vas devoir travailler pour nourrir ton enfant, ironisa-t-il. J'ai une job à t'offrir.

Jade ne bougea pas d'un poil.

Le Prof la poussa sur le côté. Il marcha d'un pas décidé vers le salon. Il s'installa dans le meilleur fauteuil.

Jade resta debout dans le chambranle.

— Je veux que tu partes, dit-elle.

— Pas avant que tu aies entendu mon offre, dit le Prof.

Il sortit de la poche de son manteau un sac rempli de cailloux. Il le jeta sur la table.

— La voilà, mon offre. Tu pourras garder une plus grosse part des profits sur les passes. Ça va te faire un bon petit sideline à ton chèque de BS.

— Non, dit Jade.

Le Prof attendit. Elle essayait de ne pas regarder les roches.

Après un moment, il prit le sac et alla le secouer sous son nez.

— T'es vraiment sûre que t'as pas envie de ça ?

Jade secoua la tête. Elle regardait le mur du fond.

Il la prit violemment par le cou et lui dirigea la tête vers le sac de roches.

— Regarde-les, câlisse !

Jade serrait les dents. Elle fixait le sac. Elle tremblait.

Elle est proche de céder, pensa le Prof.

Il se rassit. Sortit une pipe, mit un gros caillou dedans. Jade suivait chacun de ses gestes.

— Reste juste à l'allumer, dit-il avec un sourire.

Puis, le bébé se mit à pleurer.

Le son sortit Jade de sa transe.

Le Prof la suivit jusqu'à la chambre. Pas question qu'elle prenne le téléphone pour appeler, mettons, la police, se dit-il.

Elle redonna sa sucette à l'enfant, qui se rendormit après un moment.

— Je veux que tu partes, répéta Jade. Je t'ai pas invité.

Le Prof avait toujours la pipe chargée dans la main.

— Juste une petite poffe, toi pis moi. En souvenir du bon vieux temps. Après, je te laisse tranquille. C'est promis.

Elle sentit le goût du crack dans sa bouche. La délicieuse amertume qui précédait le buzz. Juste une, se dit Jade. Juste une. Ça va faire tellement de bien. Mais juste une.

Elle lui arracha la pipe et se dirigea vers le salon.

Il lui donna un briquet.

Elle n'eut aucune hésitation avant d'allumer. Elle inspira. Le bonheur se répandit dans ses poumons à la vitesse d'un supersonique.

Qu'est-ce qu'elle était bien !

Le Prof reprit place dans son fauteuil. Il la regarda planer. Elle s'était remplumée. Elle l'excitait toujours autant. Quand il la sentit redescendre légèrement, il lui prépara une autre pipe. Une bonne grosse roche. Question de l'accrocher solide et de faire durer le plaisir. Peut-être pourrait-il même en profiter.

— Tiens, ma belle, prends ça.

Jade poffa de nouveau.

Il la prit, elle était légère. Il la jeta sur son lit et la déshabilla. Elle était complètement molle.

Il lui écarta les jambes, se préparant à la chevaucher. Soudain, il se rendit compte que quelque chose n'allait pas. Elle avait les yeux révulsés.

Il débanda instantanément.

Fuck. Il lui en avait trop donné.

Elle était en train de crever.

Jade eut des convulsions. Elle vomit. Le Prof remonta rapidement son pantalon.

Puis, plus rien.

Merde, merde, merde, se dit le Prof. Heureusement, je l'ai pas enfilée. Pas de sperme, pas d'ADN. Il alla chercher une débarbouillette, essuya tout le corps de Jade. Il lui referma les jambes. Il essaya de repenser aux endroits qu'il avait touchés. Il essuya les accoudoirs du fauteuil du salon. Sans traces d'une visite, on allait penser qu'elle avait fait une overdose toute seule. Il vida le sac de roches sur la table de chevet sans rien toucher, essuya soigneusement la pipe, la jeta à côté d'elle.

En claquant la porte, il entendit le bébé pleurer.

*　　*　　*

Pascale Daudelin entendit les hurlements du bébé avant même d'arriver à la porte. Elle avait bravé la première tempête de la saison, qu'on annonçait depuis déjà une grosse semaine, pour se rendre chez Jade. La D^{re} Tremblay lui avait dit que la jeune fille filait un mauvais coton. Elle avait besoin d'aide. Il était impensable de manquer ce rendez-vous.

D'autant plus qu'elle était porteuse d'une excellente nouvelle : après des semaines d'efforts, elle avait enfin déniché le numéro du grand frère. Il était propriétaire d'une librairie dans le Mile End. Ne restait qu'à déterminer si c'était elle qui appelait, ou si Jade préférait le faire elle-même.

En sortant de sa voiture, une bourrasque de neige lui arriva en plein visage. Elle faillit glisser en arrivant sur le palier. Elle sonna, personne ne répondit. La travailleuse sociale sentit naître l'inquiétude.

Elle alla sonner chez la fille du deuxième.

— Je sais pas trop ce qui se passe. Son bébé pleure depuis un bout. J'ai sonné. Elle a pas répondu.

Les intervenantes n'étaient pas rentrées à cause de la tempête. Pascale était heureusement en mesure de déverrouiller le bureau du personnel. Elle trouva la clé de l'appartement de Jade dans une armoire.

En entrant, elle vit tout de suite que quelque chose n'allait pas. Aucun bruit, si ce n'étaient les hurlements perçants du bébé. Elle alla tout de suite voir la petite. Sa couche était pleine. Elle était rouge, trempée de sueur. Elle avait la voix rauque. Elle criait depuis plusieurs heures. Elle la prit et essaya de la consoler. Dans ses bras, le bébé arrêta momentanément de pleurer.

— Jade?

Elle marchait dans le corridor, le bébé dans les bras. Elle la vit, sur le lit. Nue. Morte.

Pascale eut un coup au cœur. Les jambes lui manquèrent. Elle s'assit dans le corridor, devant la porte. Le corps de Jade était blanc. Le tour des lèvres, légèrement bleu. Les yeux révulsés. Elle avait vomi. Overdose, diagnostiqua Pascale.

Ses yeux se posèrent à côté du lit. Il y avait du crack sur la table de chevet. Une pipe sur le lit.

Merde, se dit Pascale.

Le bébé recommença à pleurer. Elle avait faim.

Pascale chercha du lait dans toute la maison. Puis, elle se souvint que Jade allaitait. Il n'y en avait pas. Elle fit rapidement le tour des possibilités. La fille d'en bas? Son enfant était trop grand, il ne buvait plus de lait maternisé. Celle du premier travaillait. Les intervenantes étaient absentes.

Elle déposa la petite dans son lit et prit son cellulaire.

*   *   *

La médecin regarda son téléphone portable d'un œil noir. Sa laisse électronique était beaucoup trop courte. Ses suivis de grossesse lui laissaient peu de répit. Elle accouchait souvent la nuit. Et sa vie personnelle en souffrait.

Pas assez de temps pour son mari, ses enfants.

Mais il y avait ce damné cellulaire qui n'arrêtait pas de sonner.

Elle regarda le numéro. Pascale Daudelin. La travailleuse sociale l'appelait rarement. Il fallait que ce soit important.

— Oui?

Au fil du récit de la femme, ses épaules s'affaissèrent.

Isabelle Tremblay raccrocha.

Elle prit à peine le temps de déneiger sa voiture. La tempête faisait rage depuis le petit matin. Il y avait un bon pied de neige sur la Jetta.

Derrière un volant, Isabelle Tremblay était redoutable. Elle conduisait souvent de nuit, par tous les temps. Il était hors de question qu'elle manque un accouchement à cause des conditions de la route.

Malgré la tempête, elle conduisait vite.

Les essuie-glaces marchaient à plein régime. La Ville n'avait pas déblayé les rues. Il était encore tôt et la tempête crachait de la neige depuis quelques heures. La poudrerie balayait les rues. Certaines intersections étaient à peine praticables. Les cols bleus attendaient que le gros du blizzard soit passé pour nettoyer. Entre-temps, Montréal était une ville fantôme, enfouie sous un épais linceul blanc.

Feu rouge, rue Saint-Denis. La médecin ralentit, jeta un regard d'un côté, puis de l'autre. Personne. Elle brûla le feu en accélérant. L'auto dérapa légèrement.

Elle alluma la radio. L'émission du matin tournait entièrement autour de la tempête. Écoles fermées, ponts fermés, routes impraticables. La frénésie journalistique était toujours totale quand survenaient des tempêtes. Mais il fallait admettre que celle-là en valait la peine. Pour une fois, se dit-elle.

La médecin s'arrêta brusquement sur le boulevard Rosemont, devant une pharmacie. Elle sortit, avança dans la neige jusqu'à la porte. Elle reprit place dans l'auto quelques minutes plus tard avec un sac rempli de boîtes de lait maternisé.

Elle repartit à fond de train. Elle entama une montée sur le boulevard Rosemont, près de l'avenue Papineau. Les pneus peinaient à mordre la neige.

Elle donna un coup d'accélérateur. L'auto fit un bond en avant. En arrivant au sommet de la montée, elle avait perdu le contrôle du véhicule. Dans la descente qui suivait, l'auto se mit à zigzaguer.

Une autre voiture venait en sens inverse, plus loin. Elle allait la percuter. Cent pour cent de chances d'accident, se dit-elle. La médecin décéléra. L'auto commença à tourner sur elle-même.

L'autre véhicule, une Dodge Caravan rouge vif, approchait rapidement. Le moteur de la Jetta donna un coup brutal. L'auto cessa de tourner, juste avant le passage de la Caravan. Les pneus mordaient de nouveau la neige.

Isabelle Tremblay sourit. Double débrayage. Ça marchait à tous coups.

La médecin vira sèchement rue Chabot. Elle stationna son auto au milieu d'un banc de neige. Ça ne sera pas facile de sortir d'ici, se dit-elle. Elle jeta un coup d'œil dans la voiture. Ouf. La pelle de l'hiver dernier était encore là, sur le siège arrière.

Elle monta quatre à quatre les marches du triplex.

Une femme ouvrit. Elle avait un bébé hurlant dans les bras.

— Elle est dans la chambre, dit simplement la femme.

Elle se rendit dans la chambre, regarda le corps sur le lit. Par acquit de conscience, elle prit le pouls. Rien. Elle se tourna vers la travailleuse sociale.

— Il faut s'occuper du bébé.

Elle alla dans la cuisine et prépara un biberon.

Pascale Daudelin s'assit dans la chaise berçante, près du lit. Elle dirigea le biberon vers la bouche minuscule.

Les lèvres du bébé attrapèrent goulûment le biberon. Les hurlements furent remplacés par des bruits de succion.

Pascale regarda Jade, sur le lit. Son corps était raide. Elle était morte depuis un certain temps. La petite avait hurlé pendant des heures aux côtés d'un cadavre.

Elle la regarda boire son lait. Elle portait un pyjama rayé, aux couleurs d'un personnage de dessin animé. Pascale chercha son nom. Tigrou, se rappela-t-elle soudain. Le tigre excité de la bande de Winnie l'ourson.

Pascale examina ses petits pieds, ses mains, puis son visage. La petite la regardait fixement. Deux billes noires la contemplaient. Qu'y avait-il dans cette tête ? La travailleuse sociale toucha d'un doigt le duvet sombre sur le crâne du bébé.

Et maintenant, qu'allait-il se passer avec cette enfant ? se demanda-t-elle.

Les deux yeux, qui la regardaient toujours, étaient maintenant pensifs. Pascale eut le curieux sentiment que le bébé partageait ses pensées. Mais les deux billes noires se voilèrent soudain. Les paupières se baissèrent doucement. Rideau. La petite dormait, épuisée.

Pascale se mit à la bercer. L'enfant dormait paisiblement, petite boule de chaleur au creux de son bras. Dehors, la neige continuait de tomber dru.

La médecin entra dans la chambre.

— Inutile d'appeler l'ambulance. Elle est morte depuis plusieurs heures. Par contre, il faudrait avertir sa famille. Il me semble que tu avais retrouvé le frère. Tu as son numéro?

Du menton, Pascale Daudelin désigna son sac.

— Il est là-dedans.

Isabelle Tremblay regarda le bébé qui dormait.

Elle fouilla dans le sac en soupirant. Pauvre gars.

Elle composa le numéro. La neige tombait toujours. Quelle tempête, pensa-t-elle. De l'autre côté de la rue, des enfants qui s'ébattaient dans la neige formaient des taches colorées dans le désert blanc.

*   *   *

Quel plaisir d'être un enfant dans une tempête, pensa Louis en prenant une gorgée de café au lait. La déneigeuse n'était pas encore passée. Sa rue du Mile End recouverte d'une neige totalement vierge était devenue le terrain de jeu des petits voisins. Le grand courait en tirant son frère dans un traîneau. L'enfant avait les joues rouges. Il riait.

Il avait joué à ce jeu tellement souvent avec Jade, dans leur petit traîneau jaune. Elle adorait l'hiver, les batailles de boules de neige, les forts, les glissades.

Son regard se porta vers le lit. Marie dormait toujours. Il était beaucoup trop matinal pour elle.

C'était l'un des nombreux petits détails qu'il avait appris sur elle dans ces trente jours de vie commune, pensa-t-il. Elle mettait du miel sur ses toasts au beurre d'arachide le matin. Elle aimait les bains très chauds. Elle laissait traîner ses vêtements sales. Elle détestait les épinards. Et elle se couchait tard le soir.

Même le chien avait emménagé chez lui. Lui aussi était matinal. Ça lui faisait de la compagnie.

Il y a un mois, Marie était arrivée chez lui, trempée jusqu'aux os. Il faisait nuit.

Elle l'avait enlacé en entrant. Elle pleurait.

— Mais qu'est-ce qui se passe ? s'était inquiété Louis. Il t'est arrivé quelque chose ?

Elle avait fait un signe de dénégation. Il lui avait donné une serviette. Il lui avait prêté un peignoir, avait jeté ses vêtements dans la sécheuse.

Il lui avait servi un scotch, un bon. Elle s'était blottie dans le sofa, tout contre lui.

— J'ai vu un chasseur aujourd'hui.

Elle lui avait raconté l'épisode sur la terre des Gendron. Les deux hommes, les arbalètes. Elle tremblait comme une feuille.

— C'est fou, il s'est pas passé grand-chose, mais je me suis sentie… tellement vulnérable, hoqueta-t-elle. La dernière fois que je me suis sentie comme ça, c'était… il y a longtemps.

Silence. Louis lui caressa les cheveux.

— Je t'ai jamais parlé de quand j'étais petite, avait-elle ajouté.

Elle lui avait parlé longtemps. À la fin, elle s'était tue et l'avait regardé.

— Tu comprends ce que ça veut dire ? Ma mère était schizophrène. Moi, j'ai eu un trouble d'attachement grave. Es-tu sûr que tu veux t'embarquer avec moi, même avec tout ça ?

— Tout ça, ça change rien pour moi. Je t'aime. Je ne sais pas trop combien de fois je vais devoir te le dire, ni de combien de façons, mais j'accepte tout ça, je prends le risque, je parie, je m'essaie, quoi.

Elle lui sourit. Un sourire magnifique, se dit-il.

— Et si on fêtait nos retrouvailles ? dit-il. Tabac chinois ?

C'était leur code pour un peu d'herbe.

Elle accepta. C'était toujours elle qui roulait. Ses mains tremblaient légèrement.

Ils avaient fumé en silence, savourant le calme ambiant.

Il avait pris sa main, l'avait caressée. Elle avait fermé les yeux.

Il avait passé sa langue sur son index, en s'attardant sur le bout du doigt.

Ils avaient fait l'amour d'une tout autre manière, ce soir-là. Elle avait lâché prise.

Ce souvenir extrêmement agréable donna à Louis l'envie de se glisser dans le lit. Marie était chaude. La tempête faisait rage dehors.

Tout était calme.

Quel merveilleux moment, pensa-t-il.

La sonnerie du téléphone retentit.

Il empoigna le combiné sur la table de chevet.

Le bruit avait tiré Marie du sommeil. Elle regarda Louis. Son visage se décomposait au fil de la conversation succincte qu'il avait avec l'interlocuteur.

— Un instant, je vais chercher de quoi noter. Donnez-moi l'adresse.

Il écrivit quelque chose sur un carnet qui traînait.

— Très bien. J'arrive.

Il raccrocha. Son teint était gris.

— Jade. Ma sœur. Elle est morte.

— Comment? Mais à qui parlais-tu?

— C'était une médecin. Il faut y aller, dit-il.

Il était déjà en train de mettre un pantalon.

— Où ça?

— Chez elle. Chez Jade. Je veux la voir.

Il laça ses bottes. Puis donna un coup de pied rageur dans la porte.

— Mais pourquoi je l'ai pas retrouvée avant? Pourquoi?

En sortant, ils eurent momentanément le souffle coupé par la force du blizzard.

*　　*　　*

Le vent soufflait si fort que les fenêtres, mal isolées, laissaient passer un sifflement lugubre. Malheureusement, ce son funèbre était de circonstance, se dit Isabelle Tremblay.

Elle avait les larmes aux yeux.

Louis était agenouillé aux côtés du corps de Jade, toujours étendu sur le lit. Il passa son doigt sur les traits délicats de Jade, maintenant figés, et sur ses boucles brunes. Il pleurait. Il enlaça sa sœur morte. Marie posa ses mains sur ses épaules.

— C'est ma faute. J'aurais dû continuer à chercher. Si je l'avais retrouvée…

— Je vous avais retrouvé, moi, dit Pascale Daudelin.

Elle venait d'entrer dans la pièce, le bébé toujours endormi dans les bras.

— J'allais vous appeler. Et ce matin…

Elle secoua la tête. Elle ne le croyait toujours pas. Elle s'échoua dans la chaise berçante.

— Je ne comprends pas ce qui est arrivé, monsieur Hétu. Votre sœur avait fait une cure. Elle avait arrêté la drogue. Elle avait eu son bébé. Elle s'en sortait bien. À ma connaissance, elle n'avait jamais rechuté. J'imagine qu'elle a dû trouver tout ça trop dur. Elle en a repris. Et elle en a trop pris.

Louis la regarda, Marie à ses côtés.

— Parlez-moi. Parlez-moi d'elle.

La médecin et la travailleuse sociale échangèrent un regard. Le récit ne serait pas facile à encaisser. D'un autre côté, il avait besoin de savoir.

C'est la médecin qui raconta. Le Matador, d'abord. Elle ne s'étendit pas trop là-dessus. Inutile d'en rajouter… Puis, la grossesse, la fuite. La désintox. L'accouchement. Ensuite, la vie. Difficile. Mais à peu près normale.

Marie regardait le bébé. Un tableau avec des dizaines de cases de couleur surgit dans son esprit. Avant le tableau, avant les déplacements, les déchirements, les agressions, les trahisons, Stéphane Bellevue, dit l'ogre, c'est à ça qu'il ressemblait, se dit-elle. Puis, elle pensa à Sébastien Labrie, mort la bouche pleine de terre.

Pascale berçait l'enfant. Soudain, la petite ouvrit les yeux.

Louis se releva. Il s'accroupit à côté de la berceuse pour voir le visage du bébé. Il effleura du doigt le duvet sombre, les joues rebondies. Il regarda ses yeux. Deux petits abîmes. Cette enfant était tout ce qu'il restait de sa sœur.

Ses yeux rencontrèrent ceux de Marie.

Elle pensait la même chose que lui.

Fin

Remerciements

Un très grand merci à tous ceux qui ont accepté de revisiter des souvenirs souvent difficiles pour m'aider à composer le personnage de Stéphane Bellevue. Merci à Sylvain Kerouac, qui m'a permis de passer plusieurs heures, l'espace d'une nuit, dans un hôtel de passe de Montréal. Merci à Pascale Daudelin, la vraie, pour toutes ces conversations que nous avons eues sur le métier de travailleuse sociale. Enfin, merci à Lucie Vallerand, sans qui ce livre n'aurait jamais vu le jour.

Table des matières

CRÉDITS ET REMERCIEMENTS

Les Éditions du Boréal reconnaissent l'aide financière du gouvernement
du Canada par l'entremise du Fonds du livre du Canada (FLC)
pour leurs activités d'édition et remercient le Conseil des arts
du Canada pour son soutien financier.

Les Éditions du Boréal sont inscrites au Programme d'aide
aux entreprises du livre et de l'édition spécialisée de la SODEC
et bénéficient du programme de crédit d'impôt pour l'édition de livres
du gouvernement du Québec.

Couverture : Yoakim Bélanger, *Inside revolution CVXII*

Ce livre a été imprimé sur du papier 100 % postconsommation,
traité sans chlore, certifié ÉcoLogo
et fabriqué dans une usine fonctionnant au biogaz.

MISE EN PAGES ET TYPOGRAPHIE :
LES ÉDITIONS DU BORÉAL

ACHEVÉ D'IMPRIMER EN AVRIL 2014
SUR LES PRESSES DE L'IMPRIMERIE GAUVIN
À GATINEAU (QUÉBEC).